D1111608

VENTAJAS DE VIAJAR EN TREN

Obras de Antonio Orejudo
en Maxi

Un momento de descanso

Fabulosas narraciones por historias

Ventajas de viajar en tren

ANTONIO OREJUDO
VENTAJAS DE VIAJAR EN TREN

El papel utilizado para la impresión de este libro es cien por cien libre de cloro y está calificado como **papel ecológico.**

1.ª edición en colección Andanzas: octubre de 2011
1.ª edición en colección Maxi: septiembre de 2015
1.ª edición en colección Maxi: octubre de 2017

Ilustración de la cubierta: Fotografía de John Lund. © Stone / Getty Images

Fotografía del autor: © Ivan Giménez / Tusquets Editores

Diseño de la colección: FERRATERCAMPINSMORALES

ISBN: 978-84-9066-131-4
Depósito legal: B. 15.299-2015
Impresión y encuadernación: Liberdúplex, S. L.
Printed in Spain - Impreso en España

Índice

A Paula, a Jorge y a Helena;
largos recorridos

El casamiento engañoso

Imaginemos a una mujer que al volver a casa sorprende a su marido inspeccionando con un palito su propia mierda. Imaginemos que este hombre no regresa jamás de su ensimismamiento, y que ella tiene que internarlo en una clínica para enfermos mentales al norte del país. Nuestro libro comienza a la mañana siguiente, cuando esta mujer regresa en tren a su domicilio tras haber finalizado los trámites de ingreso, y el hombre que está sentado a su lado, un hombre joven, de nariz prominente, ojos saltones y alopecia prematura, que viste un traje azul marino y lleva sobre las rodillas una peculiar carpeta de color rojo, se dirige a ella con esta pregunta tan peregrina:

–¿Le apetece que le cuente mi vida?

Vaya pregunta. Al oírla, nuestra mujer, de aspecto más elegante y distinguido, mayor en edad, aunque menuda en estatura y, como suele decirse en estos casos, de semblante agradable y ojos vivarachos, se queda petrificada. El hombre se ríe de una manera que a ella le parece abierta y franca, y le aclara que es una broma, una manera como otra cualquiera de romper el hielo, porque el viaje hasta Madrid es muy largo.

–Mi nombre es Ángel Sanagustín –dice–, soy psiquiatra y trabajo en la clínica donde usted acaba de ingresar a su marido; la he visto por allí esta mañana. No sé si el doctor Crespo le ha hablado de mí, trabajo en las aplicaciones del discurso escrito al diagnóstico de los trastornos de personalidad; pedimos al paciente que cuente un episodio de su vida por escrito, analizamos su narrativa y a continuación podemos diagnosticar. Lo haremos con su marido, y además con mucho gusto, porque los textos de los coprófagos son muy entretenidos, y acaban siempre haciéndome reír. Esta carpeta tan llamativa es un libro que estoy preparando sobre la esquizofrenia y los trastornos paranoides, que incluirá textos de mis pacientes. Igual tengo que pedirle permiso para añadir algo de su marido; las narrativas de los coprófagos son las más curiosas; luego, si quiere, le leo alguna. En el caso de los coprófagos todo lo que rodea al paciente pierde valor, los estímulos externos sufren un proceso de devaluación no selectiva, y el paciente queda fascinado por su cuerpo y por sus excreciones; sus textos dan vueltas y vueltas a la misma cosa hasta que al final caen en picado, se estrellan contra su propio pensamiento. Todos los esquizofrénicos acaban estrellándose contra su propio pensamiento. La esquizofrenia en sí es un trastorno del propio pensamiento. La coprofagia es una simple manifestación de este trastorno. Su marido debió de tener el primer brote psicótico alrededor de los veinte, veinticinco años. La esquizofrenia no avisa. El paciente cambia su comportamiento de manera repentina y radical; se vuelve desconfiado, huraño, discutidor, y se aísla de la gente; a veces se siente observado por desconocidos, cree que la gente habla de él, y que la radio y la televisión dan noticias sobre su vida; sufre alucinaciones audioverbales, oye voces y se muestra inquieto o agitado. También puede ocurrir lo contrario, que se muestre bloqueado psíquicamente, que no pueda articular palabra debido a una percepción alucinatoria, a un vacío mental o a una idea parásita. Los síntomas de la esquizofrenia son muy variados y por eso ha sido muy difícil diagnosticarla. Los enfoques psiquiátricos más especulativos, aquellos con menor base científica, siempre han rehusado enfrentarse a la esquizofrenia, porque es una patología que no se deja sistematizar así como así. Al señor Freud no le interesó en absoluto, y el señor Jung se limitó a estudiar los trastornos asociativos, que, como la coprofilia, son simples manifestaciones de la enfermedad. Definitivamente, el psicoanálisis no sirve para estudiar la esquizofrenia. Tenga usted en cuenta que, aunque no conocemos las causas, hoy casi nadie discute que se trata de una enfermedad con un sustrato biológico. Las causas de la esquizofrenia hay que buscarlas en la anatomía, en la neuropatología, en el sistema neuroendocrino o en el psiconeuroinmunológico. Los desencadenantes de la enfermedad son electrofisiológicos y bioquímicos; sabemos que están implicadas las monoaminas, los aminoácidos y los neuropéptidos. En realidad los seres humanos no somos más que un millón de impulsos eléctricos por segundo y unas cuantas reacciones químicas. Usted, por ejemplo, me está mirando ahora fijamente a los ojos, como suelen hacer las hembras humanas cuando conocen a alguien. Sin saberlo, está desencadenando en mí una serie de reacciones: los machos percibimos esa mirada directa como una amenaza. No, no se ría, es verdad; su mirada aumenta la conductividad eléctrica de mi piel y la hace transpirar porque el sudor contiene sal y la sal conduce la electricidad. Mire, mire cómo tengo la piel. Y ahora usted, al reírse, ha abierto los pliegues mucosos que hay en su boca, ha movido una docena de músculos subepidérmicos, y ha vertido sobre mí una generosa cantidad de bacterias. No, no se preocupe; no me importa; no soy hipocondriaco; es más, me gusta que me contagien. Mis palabras están cruzando el aire a una velocidad de mil doscientos kilómetros a la hora, Mach I se llama, la velocidad del sonido, y están haciendo vibrar unas sutiles membranas en su oído, que envían señales a su cerebro. Yo le puedo estar resultando simpático o antipático, entretenido o pesado; pero eso que usted denomina con esos nombres no son sino impulsos eléctricos que se producen en su cerebro. Nuestro cerebro es una maravilla. No conocemos ni la décima parte de su potencial. Gracias a las posibilidades evolutivas de nuestro cerebro hemos sobrevivido a una serie de cambios culturales que yo me atrevería a calificar de brutales, producidos además en unos pocos cientos de años. Un ejemplo: si alguien leyera todo lo que yo estoy diciendo, al llegar a este punto habría leído ya más de lo que leyó un campesino medieval en todas sus generaciones. Entre ese hombre y nosotros han transcurrido quinientos, seiscientos años, lo cual no es nada en términos evolutivos. En fin, lo que quiero decirle es que no somos nada más que electricidad y bioquímica. En realidad, eso que yo estudio, la personalidad, la entidad psicológica, no existe; parece mentira que un psiquiatra diga eso, ¿verdad? Pero fíjese que si algo he aprendido estudiando la esquizofrenia es que la personalidad no es otra cosa que lo que nos cuentan de alguien, lo que alguien nos cuenta de sí mismo, lo que nosotros nos contamos de alguien o lo que nosotros nos contamos de nosotros. Lo que hacemos, lo que sentimos, lo que experimentamos es simplemente un impulso electromecánico que sólo adquiere sentido cuando lo contamos. Esto se ve muy bien al analizar las narrativas de los pacientes esquizofrénicos, luego, si quiere, le leo alguna. Los pacientes con esquizofrenia hebefrénica, por ejemplo, presentan una tendencia no diré irreprimible, pero sí muy marcada a narrar la propia vida. Estos enfermos tienen una particularidad, y es que lo hacen cada vez de modo diferente, de manera que su personalidad no consiste en otra cosa que una sucesión de relatos superpuestos como las capas de una cebolla. Cuando nos queremos dar cuenta, no tenemos personalidad propiamente dicha que estudiar, sino una colección de cuentos, una narrativa tras otra, debajo de las cuales no hay persona. Dirá usted, claro, por eso se llaman esquizofrénicos, porque tienen la mente escindida.

Pero ¿quién hoy día no es más o menos esquizofrénico? ¿Quién no ha tenido alguna vez la sensación de ser observado o vigilado? ¿Quién no ha pensado alguna vez que un locutor se refería a nosotros cuando daba una noticia? ¿Quién no ha sentido alguna vez que los demás se enteraban de nuestro pensamiento? ¿Quién no ha oído alguna vez voces que comentaban nuestros actos o nos daban órdenes? El que no haya tenido alguna vez vivencias de influencia corporal, o empobrecimiento afectivo, o distimias alegres y depresivas que tire la primera piedra. Además, está demostrado desde los tiempos de la Retórica que si se utilizan las palabras adecuadas en el orden preciso es posible desencadenar en el sistema nervioso esas reacciones bioquímicas que denominamos risa o inquietud, pero también otras más complejas, que reciben los nombres de *calidez, proximidad,* o esa otra sensación, la impresión de que los seres humanos tenemos alma, espíritu, personalidad, una dimensión interior a fin de cuentas. Pero no hay dimensión interior que valga. Eso que las personas buscan en el arte al caer la tarde, después de haberse comportado por el día como bestias, y que suelen llamar *presencia humana, autenticidad, verdad, heridas del alma,* eso no es más que un orden de las palabras. Yo me río mucho de mis colegas en la clínica cuando hablan de la dimensión interior del ser humano. Yo les digo que la dimensión interior del ser humano es un cuento, y lo demuestro. Pero eso no acaban de aceptarlo; allí son todavía demasiado... cómo decirlo... demasiado humanistas. Por eso el doctor Crespo no le ha hablado de mí. No le gusto. Él cree que yo soy un poco reaccionario. Bueno, él cree muchas cosas. Él cree en la trascendencia del ser humano y de su mente, y no se resigna a ocupar el lugar que le corresponde en la escala zoológica; un lugar entre nuestros hermanos mamíferos. Él está orgulloso de la humanidad, del hombre, y considera que la locura es el refugio del individuo frente a la alienación social. Esta idea, que afortunadamente ya ha pasado de moda, ha sido catastrófica. Catastrófica no sólo para los enfermos, sino para la filosofía de la disciplina psiquiátrica. ¿Ha oído hablar de la antipsiquiatría? La antipsiquiatría fue un movimiento que negaba la esquizofrenia. Negaba la esquizofrenia y cualquier otro trastorno de la personalidad. La antipsiquiatría negaba la enfermedad mental. Durante los años en los que se nos obligó, sí, digo bien, se nos obligó a aplicar sus principios, el número de enfermos disminuyó. Claro; los soltábamos a todos. No había enfermos, sólo alienados. Por el contrario, lo que aumentó fue el número de delitos en las calles y de accidentes y suicidios en los domicilios. No, no me mire así. Desde luego que los factores psicosociales influyen en la enfermedad mental; fíjese si creeré en ello, que yo me dedico al diagnóstico y terapia de la esquizofrenia a través de técnicas de escritura. Es más: estoy convencido de que hay ciertas esquizofrenias que pueden canalizarse a través de su propia narración. Cuando el paciente esquizofrénico escribe está dando rienda suelta a su mundo de asociaciones, que cesa cuando cesa de escribir. Luego le leo una, para que se dé cuenta de lo que quiero decir. Es como si la escritura le ayudara a trazar una línea divisoria entre el delirio y la realidad. Ahora bien, me niego a considerar la enfermedad mental como un término relativo. Ese principio, ya le digo, es catastrófico. Le voy a contar algo que me sucedió a mí con un paciente que tendría que haber estado encerrado bajo mil llaves, y al que dejaron suelto para que se integrara en la sociedad. En aquel caso no era un esquizofrénico, sino un paranoico; y es cierto que la paranoia tiene difícil diagnóstico, porque el paciente no presenta ningún trastorno, salvo su delirio puntual, que suele estar además perfectamente encapsulado. Al contrario que el esquizofrénico, el paciente paranoico está siempre atento a los estímulos externos, estableciendo entre ellos vínculos erróneos. Las narrativas de los paranoicos son extremadamente efectivas y convincentes, y pueden llegar a ser peligrosísimas. Como se puede imaginar, yo trato a gente muy rara, a pacientes que interpretan el mundo de una manera patológica, a sujetos que establecen nexos inexistentes o que extraen conclusiones delirantes. Pues bien, no me he vuelto a topar jamás, ni en la clínica ni fuera de ella, con un cuadro sintomatológico como el del individuo este que le digo que dejaron suelto. Martín Urales de Úbeda, así se llamaba, no me importa decir su nombre porque está muerto, se suicidó. El nombre lo dice todo, ¿verdad? Martín Urales de Úbeda. Aquel hombre me subyugó, su poder de sugestión era hipnótico. Yo, que me tengo por un hombre equilibrado y emocionalmente estable, que estaba ya entonces protegido por una cierta experiencia profesional, estuve a punto de sucumbir, estuve a un paso de ver el mundo con sus ojos, de convertirme en un paranoico por inducción; pero afortunadamente logré escapar de su hechizo; bueno, de su hechizo y de su casa; me tuvo secuestrado. ¿Ha estado usted alguna vez secuestrada? No, ¿verdad? Es una cosa angustiosa. Cuando me secuestró, yo llevaba mucho tiempo buscándolo; no lo conocía, pero me habían hablado de él, me habían contado unas cosas espantosas, me habían dicho que convencía a las personas para que se tiraran a los camiones de basura, y él, de hecho, murió así, triturado. Y yo, a punto estuve. Si él hubiera estado internado, nada de eso hubiese sucedido; pero, claro, entonces la antipsiquiatría hacía furor y expresar objeciones equivalía poco menos que a declararse fascista. Veo que le interesa; si quiere se lo cuento.

Pues nada, todo empezó cuando mi mujer y yo nos mudamos de casa, y compramos, en una urbanización de Galapagar, un chalet adosado que pertenecía a un político que no sé si le sonará, José María Thybaut se llama, un observador de la ONU que siempre está velando por los intereses de los más desfavorecidos, lo ha tenido que ver en la tele alguna vez. Bueno, pues este José María Thybaut nos dejó en la puerta de la casa un montón de basura que los basureros no querían recoger, porque decían que ellos sólo estaban obligados a recoger la basura de los residentes. Se lo crea o no, la basura sigue pudriéndose en mi puerta tres años después de todo aquello. Ahora ya me he olvidado del asunto, sobre todo después del secuestro, pero al principio, cuando empezó todo, salí mucho en la televisión, en la radio y en los periódicos denunciando el caso, que me parecía intolerable. La primera vez que oí hablar de este paciente, Martín Urales de Úbeda, fue a un matrimonio que había tenido un problema semejante. Se habían cambiado de casa, el antiguo dueño les había dejado muebles y basura en la puerta, y los basureros se habían negado a recogerla. Un buen día recibieron una carta de Martín Urales de Úbeda desde el Hospital Psiquiátrico de Carabanchel para que fueran a verlo, que a él también le había sucedido lo mismo. El marido se había negado, pero su esposa acudió. Nadie sabe de qué hablaron. A las pocas semanas la mujer se tiró al camión de la basura. Ésta era la única noticia que tenía yo de Martín Urales de Úbeda cuando a los pocos meses recibí una carta firmada, no por Martín, sino por Amelia Urales de Úbeda, que recuerdo a la perfección. Decía textualmente:

Estimado Ángel Sanagustín, la mayor ilusión de mi padre siempre fue que mi hermano Martín ingresara en la Academia Militar de San Javier, Murcia. Aunque mi hermano no tenía vocación, por contentarlo ingresó en la academia y se hizo militar. El día que lo aceptaron simuló para él, para mi padre, una falsa alegría muy grande, y brindó con champán junto a nosotros. Luego se marchó a la Academia de San Javier, y desde Murcia nos escribía todas las semanas cartas que mi padre leía y releía en su silla de ruedas bajo la ventana del salón; mi padre era paralítico, le volaron las piernas en un atentado. En sus cartas mi hermano nos contaba la vida diaria del cuartel, deteniéndose en anécdotas que mi padre sabía apreciar mucho mejor que mi madre o yo. En navidades venía a casa con el uniforme de alférez, porque a mi padre le gustaba verlo así; y, vestido de paseo, sacaba a mi padre a dar una vuelta por el barrio. Cuando se licenció de teniente, fue destinado primero a Angola, con un ejército de paz, y luego a Italia como agregado militar de la embajada. Estuvo por esos mundos de Dios dos o tres años. De vuelta en España le destinaron a Valladolid y luego a Madrid; pero por muy poco tiempo. Cuando estalló la guerra en Yugoslavia, le mandaron para allá. De vez en cuando nos llamaba desde un teléfono de campaña y nos enviaba mensajes enigmáticos, mensajes cifrados decía mi padre, que no lográbamos descifrar: «Volveré en mi forma verdadera –decía– cuando viere con presta diligencia derribar a los soberbios levantados, y alzar a los humildes abatidos por poderosa mano para hacerlo». Quiere decirnos algo, aseguraba mi padre, y se quedaba mirando por la ventana, con la vista perdida, temiendo en silencio y en secreto que su hijo se hubiera vuelto majareta. Un buen día, sin previo aviso, mi hermano cortó con nosotros todo tipo de comunicación; durante meses fue como si se lo hubiera tragado la tierra. Nosotros nos veíamos todos los telediarios, con la esperanza de que lo sacaran en las noticias, vivo o muerto, pero nunca salió. Hasta que una tarde apareció en casa, de paisano, con aspecto de vagabundo, sucio, barbudo y con un solo brazo. Me han echado, dijo por todo saludo. Nosotros estábamos comiendo en ese momento, y mi padre no pudo preguntar nada porque tenía una croqueta en la boca, pero en cuanto la deglutió quiso saber de dónde lo habían echado, temiéndonos los tres lo peor. Del Ejército del Aire, dijo mi hermano. Y nos explicó lo sucedido.

Todo empezó cuando lo enviaron a Yugoslavia para investigar el asesinato de cierta doctora sevillana que había levantado un hospital en Sarajevo, donde se atendía a huérfanos de guerra. Él, que siempre ha sido muy cumplidor, siguió a rajatabla las normas prescritas para este tipo de casos, y se entrevistó con los miembros de su equipo médico y con los de su círculo de amistades en busca de algún indicio esclarecedor. El caso no parecía tener misterio: uno de los huerfanitos, considerando a la doctora culpable de su orfandad, se había vengado de ella. A mi hermano también le pareció la conclusión más razonable, y ésa fue la tesis que comenzó a argumentar en el informe cuando uno de los camilleros, a quien ya había entrevistado ese mismo día, llamó a su puerta y le dijo textualmente:

–¿Quién no se sentiría deslumbrado por una morenaza que viene sola a los Balcanes y levanta un hospital infantil con sus propias manos? Era realmente asombroso verla ir y venir, de aquí para allá, dando siempre las órdenes precisas, tratando con firmeza al perezoso, poniendo a los malvados un pajarillo en plena nuca, derribando a los soberbios levantados y alzando a los humildes abatidos. Salvó la vida de muchos, cuidó de todos y no quiso nunca que su trabajo se confundiese con la caridad, que de todos los egoísmos, solía repetir, es el más perverso porque se disfraza de altruismo y generosidad. Para que su esfuerzo no resultara baldío se preocupó siempre de enseñar lo que sabía, de modo que hoy yo puedo continuar lo que su muerte ha interrumpido. Hace unos años las subvenciones, que nunca fueron abundantes, aunque sí suficientes para sobrevivir, empezaron a escasear. Las medicinas se agotaban y los aparatos eléctricos dejaban de funcionar; faltaban el agua y la comida; los niños caían como moscas y todos nos temimos que, de seguir así las cosas, habríamos de poner fin a nuestro proyecto. Pero un buen día todo cambió. La escasez se tornó copia; la nada alumbró la luz, el agua manó de las piedras y del cielo cayó el maná. Yo le pregunté abiertamente por el milagro, pero no obtuve contestación. Repetí la pregunta varias veces y en todas ellas me dio la callada por respuesta hasta que una noche entró en mi cuarto de improviso y, envuelta en llanto, la doctora Linares me dijo textualmente:

–Como sabes, desde que vine a Yugoslavia vivo exclusivamente para satisfacer las exigencias del hospital cualesquiera que éstas sean. Por eso, cuando hace ya algunos meses nos negaron todas las subvenciones y estuvimos a punto de cerrarlo, decidí prostituirme. Seleccioné a mis clientes entre los observadores de la ONU, mandos de la OTAN, miembros del séquito papal y altos representantes de organizaciones no gubernamentales. Durante algunos meses hubo algo más de dinero, suficiente para no claudicar, pero insuficiente para cubrir nuestras necesidades. Una noche, al término de un servicio, cierto cliente, al que llamaremos Cristóbal de la Hoz, me dijo que tenía un grupo de amigos muy poderosos, con mucha mano en la cosa caritativa, que estarían encantados de poderme ayudar. Me dijo cuánto dinero podría obtener en subvenciones de la OTAN, de la Unión Europea y del Papa; sin contar la millonaria calderilla que se comprometían a obtener de los presupuestos españoles, a cambio, para empezar, de un huerfanito al mes. Te puedes imaginar cómo reaccioné. Despachele sin miramientos, y me olvidé del encuentro mientras pude, hasta que nuestra situación se hizo insostenible. Los niños se nos morían, recuérdalo, y apenas teníamos dinero. El que ganaba con mis servicios sólo cubría el gasto de comida. Y por si esto fuera poco, el banco amenazaba con ejecutar la hipoteca. Entonces acudieron a mi memoria las palabras de aquel cliente, y no tuve más remedio que considerar su propuesta en términos económicos: un niño a cambio de cien. Al decir esta frase me eché a llorar. Luego me repuse. Lo inmoral, me dije, era pararme a considerar mi refinado malestar espiritual en un infierno de dolor físico como éste. Así, pues, me puse en contacto con Cristóbal de la Hoz, que se mostró encantado y dispuesto a presentarme a sus amigos. Te ahorraré detalles. Sólo te diré que llegamos sin dificultad a un acuerdo económico que garantizaba no simplemente nuestra supervivencia, sino el crecimiento de nuestro orfanato. Recuerda que tú me preguntabas de dónde salía el dinero, y que yo te daba la callada por respuesta. Escogía el huerfanito mensual al azar con el propósito de partir mi responsabilidad con la fortuna. Nunca volvíamos a verlos. Mejor así. Suponía que escapaban después de las vejaciones. Hasta que la semana pasada, una noche, estando yo dormida, sentí que alguien llamaba a mi puerta. Abrí y en el umbral encontré a Cristóbal de la Hoz, que venía a medio vestir y traía el rostro desencajado. Enseguida me advirtió que no quería ningún servicio. Le dejé pasar, le di de beber y después de tomar un baño me dijo textualmente:

–Desde que supe que mis amigos proporcionaban niños a quienes pudieran pagarlos, se fue apoderando de mí una curiosidad que no sé si era malsana o traducción de mi arrepentimiento por haber servido de intermediario. Tan interesado debieron de verme en saber qué hacían con los niños, que una noche, algo borrachos, me dijeron: Venga, te vamos a enseñar qué hacemos con los huerfanitos, y me llevaron a la última planta subterránea del hotel donde me alojaba, que era de acceso restringido. En una de las habitaciones habían instalado un estudio con una cámara de esas que filman el calor a través de los muros. Al otro lado del tabique estaba la suite, en la que dentro de unos instantes iba a comenzar el show, dijeron. Nos sentamos frente a un monitor donde podía verse una cama vacía, y nos servimos unas copas mientras esperábamos. Enseguida apareció un grupo de tres personas que inspeccionaron palmo a palmo la habitación. Los guardaespaldas, dijeron mis amigos. Poco después apareció un conocido monarca, acompañado de uno de tus huerfanitos. Mientras presenciábamos entre risas sus sofocos y sus bellaquerías, mis amigos me explicaron la triple vía de sus ingresos: el conocido monarca pagaba una buena suma, y además se le obligaba a mover los hilos de tu subvención. Manipulando digitalmente su rostro, se obtenía un inocente vídeo pornográfico, uno de tantos, del que se hacían miles de copias que se distribuían por todo el mundo. Si hay gente dispuesta a pagar verdaderas fortunas por acostarse con un huerfanito, hay mucha más dispuesta a consolarse mientras lo ve. En los países del Este se los quitan de las manos; para mis amigos ha sido maravilloso el retorno a las libertades de los países comunistas. Además, cada operación constituía una inversión dormida, como decían ellos: estos vídeos serían durante décadas material sensible para el chantaje, ya que en caso de apuro siempre se podían esgrimir para obtener favores políticos o, simple y llanamente, dinero. Estaban explicándome esto cuando fueron interrumpidos por una llamada de teléfono. Perdónanos un momentillo, me dijeron, nos ha surgido un problema, ahora volvemos. Cuando me quedé solo, estuve contemplando los numeritos de Su Majestad, pero enseguida me aburrí, me levanté y deambulé por aquella especie de estudio, inspeccionándolo todo ocularmente. En aquel examen, provocado más por la tardanza y el aburrimiento que por la curiosidad, vi que en un estante se amontonaban centenares de cintas de vídeo, cada una de las cuales llevaba en el lomo el nombre de su protagonista. No puedes imaginarte quiénes han pasado por allí, creo que estaban todos. No resistí la tentación de robar la protagonizada por la conocida esposa de un político conservador. Me apeteció ver alguno de aquellos numeritos solo en mi habitación, con un whisky. Pude habérsela pedido a mis amigos, pero me dio no sé qué y preferí llevármela sin permiso. Al poco rato regresaron, conversamos algo más y finalmente me marché. Una vez en mi habitación tomé una ducha, me serví un whisky y me puse cómodo. Reconozco haber disfrutado viendo disfrutar a la respetable esposa del hombre público. Para tu tranquilidad te diré que el huerfanito no parecía sufrir; la señora en cuestión está todavía de muy buen ver, y he de reconocer que derrochaba ternura con la criatura. Y sucedió una casualidad. Un instante antes de terminar la película, llamaron por teléfono. Bajé el volumen de la tele, pero no detuve el vídeo, gracias a lo cual pude comprobar mientras hablaba que después de la filmación, la pantalla quedaba en negro unos instantes para iluminarse a continuación, cinco minutos después. Y lo que vi no fueron sofocos ni bellaquerías, sino unas horribles imágenes que me han descabalado por dentro. El huerfanito, todavía desnudo, comía con avidez un generoso bocadillo de jamón serrano sin advertir que entre sus tiernas lonchas habían disimulado un anzuelo que se tragaba creyendo que era tocino. En ese momento el sedal se tensaba y el huerfanito era elevado como un salmón de río y suspendido hasta que sus vísceras se desprendían y caía sin ellas, desplomado y vacío como un juguete roto. El desprendimiento se filmaba a cámara lenta y se tomaban primeros planos de sus gestos de extremo y entrañable dolor. Al día siguiente llamé a uno de mis amigos, con el que tenía más confianza, Leandro Cabrera, y me reuní con él en un lugar público aparentando normalidad. Cuando estuvimos frente a frente, saqué la cinta de vídeo y tirándola sobre la mesa le dije que me parecía monstruoso que se dedicaran a la filmación de muertes, y que no era eso lo que habíamos pactado. Le exigí que me dijera la verdad, y entonces él, tras una larga pausa y sin ocultar el fastidio que le producía contestarme, me dijo textualmente:

–Dinero. Ésa es la única verdad, Cristóbal. Yo soy un profesional de la economía de mercado y he sido adiestrado para extraer el máximo beneficio de la materia prima. Como sé que en el fondo eres morboso, te diré que aunque la filmación de la muerte genera más beneficios que la prostitución y el chantaje, nada es comparable al precio que pagan las farmacéuticas por las vísceras infantiles. Nosotros las tripas las estamos vendiendo por una fortuna a una firma que fabrica un alimento especial que comen las ocas. Los cuerpos inertes, limpios y vaciados, se los queda un excéntrico taxidermista de Nueva York, que los llena de serrín y los vende al detall entre la progresía neoyorquina, que valora un huevo el arte hiperrealista de este tío. Las autoridades nos toleran porque rebajamos los índices de paro juvenil, si es que no participan simbólicamente, un uno por ciento, en el negocio. Y en cuanto a ti, Sherlock Holmes, qué te voy a decir; que has tocado fondo y estás metido en un buen lío; mi empresa te va a buscar por todo el planeta hasta dar contigo y, quién sabe, a lo mejor tu cuerpo termina expuesto en alguna galería y tus tripas sirven de alimento para las ocas que dan el foie oficial de la familia olímpica. Aunque no te lo mereces, voy a interceder por ti, Cristóbal, amistad obliga; intentaré que no te extraigan los globos oculares, que, secados convenientemente, se convierten en unas gomas cojonudas que borran boli y tinta de impresora. Que los ojos, por lo menos, te los dejen. Venga, Cristóbal, dame un abrazo.

–Ahora, doctora Linares –concluyó Cristóbal de la Hoz–, temo por mi vida; pero no quería desaparecer sin que supieras todo esto. Si alguna vez vas por Nueva York no te olvides de pasar por las galerías de arte, que igual encuentras allí expuesto a tu viejo cliente, Cristóbal de la Hoz, y te crees que es una estatua muy bien conseguida. Suerte.

–No quiso decirme Cristóbal de la Hoz adónde se marchaba –concluyó la doctora–, desapareció y no he vuelto a verlo nunca más. Supongo que habrá muerto. En cuanto a mí, soy la siguiente, lo sé, y no me importa; me harán un favor, porque después de lo que he sabido, ni una peregrinación descalza al Rocío lavará esta culpa tan grande que llevo dentro. He venido a darte las llaves del cajón donde encontrarás toda la documentación de nuestro hospicio, para que puedas hacerte cargo de él. Desaparece del mapa una temporada, que nadie sepa nunca que yo he hablado contigo; nadie sospechará que he confiado mis más íntimos secretos a un simple camillero. Y si alguna vez vas a Nueva York, mantén los ojos muy abiertos porque igual nos ves a Cristóbal de la Hoz y a mí, disecados, y no te das cuenta y te crees que es arte hiperrealista.

–La doctora Linares –concluyó el camillero– se marchó por donde había venido y no la volví a ver con vida. Por favor, no le diga a nadie que he venido, porque si no, acabaré en el Metropolitan de Nueva York con la tripa llena de serrín y la cara de gilipollas.

A la mañana siguiente –proseguía la carta de Amelia Urales de Úbeda–, mi hermano comprobó ciertos extremos de su declaración, y vio que era verdad. Él, que, según nos decía en sus cartas, había hablado con una cabeza recién decapitada; él, que había visto a una mujer comiéndose a su hijo, y hombres desinflados a los que se les había ido la vida por el ano, que se habían muerto de diarrea mientras soltaban un hilo de agua infinito; él, que había visto tripas sujetas con cinta aislante; que había visto nacer un niño de una mujer muerta; que había visto rostros devorados por las hormigas; y a una rata comerse los ojos de una mujer inmóvil de pena, tuvo que sentarse en el suelo, porque no podía con su desconsuelo, y se echó a llorar. Elevó su informe, pero sus superiores se lo devolvieron por un defecto de forma. Insistió. Que se olvidara del asunto, le dijeron; pero él se negó. Entonces lo juzgaron por insumiso, lo ingresaron en un psiquiátrico y borraron todo vestigio de su paso por el Ejército. Cuando nos lo contó, mi madre y yo le creímos, pero mi padre, que de cosas del Ejército entendía más que nosotras, dijo que era mentira, y dio un puñetazo tan fuerte en la mesa, que la partió en dos. Toda la comida salió por los aires, y una croqueta le dio en la frente a mi hermano, que indignado cogió la puerta y se marchó por donde había venido. Desde entonces no hubo día que mi madre y yo no lo pasáramos llorando y afeándole la reacción a mi padre, quien, por su parte, se encerró en un mutismo absoluto y consagró su vida a mirar por la ventana o a sentarse en el patio delantero, a ver pasar a la gente los días de toros, en los que nuestra calle se animaba un poco más. No hizo otra cosa el hombre hasta que la muerte se lo llevó una tarde, después de merendar, en plena actividad observadora. Mi madre y yo tratamos de ponernos en contacto con mi hermano dando aviso al servicio de socorro de Radio Nacional de España, pero no hubo manera de localizarlo; llegamos a pedirle perdón públicamente en un conocido programa de televisión, pero él no dio señales de vida. Resignada a no volverlo a ver nunca más, mi madre murió de pena a los pocos meses, sin que mi hermano apareciera.

Justa o injustamente, mi hermano ha cumplido su condena, pero ni siquiera ahora le permiten rehacer su vida, y los servicios secretos de inteligencia quieren aniquilarlo, darle muerte civil, y van por ahí diciendo que si está loco, y que si va por la vida convenciendo a la gente para que se tire al camión de la basura. No tengo más que decir. Suya atentamente, Amelia Urales de Úbeda.

Le sorprenderá que me la sepa de memoria, ¿verdad? Es que la leí muchas veces y además he desarrollado una gran capacidad de retentiva. A lo que vamos: la carta sonaba rara, pero era difícil saber a ciencia cierta si aquella mujer mentía o decía la verdad. Lo que sí hice fue averiguar dónde vivía. Lo deduje de sus palabras: «Mi padre, por su parte, se encerró en un mutismo absoluto y se dedicó a sentarse en el patio delantero, a ver pasar a la gente los días de toros, en los que nuestra calle se animaba un poco más, hasta que se murió». Llegué a la conclusión de que esta mujer vivía en una casita baja, con patio, en las inmediaciones de la plaza de toros de Las Ventas. Como no tenía nada mejor que hacer, en un plano de Madrid tracé una circunferencia con centro en Las Ventas y radio de un kilómetro, que abarcara todas las casitas de la zona con patio delantero, ubicadas en calles y callejuelas cuyo tráfico y afluencia de transeúntes pudieran verse afectados por la celebración de corridas. Es cierto que todo aquello podía ser un cuento, palabras, pero es que si nos ponemos así, no hacemos nada en la vida; siempre nos sucederá lo mismo; que lo único que tenemos son palabras. Por eso es tan difícil averiguar la verdad algunas veces. No es que yo sea un nihilista, nada de eso; me limito a constatar un hecho. Lo único que dejamos las personas cuando nos esfumamos es un puñado de palabras. Pero una cosa son las palabras y otra muy distinta la verdad. Algunas veces coinciden y otras no. Las palabras están ahí, las podemos leer y escuchar, aunque muchas veces tampoco sepamos qué significan exactamente; pero la verdad es muy difícil señalarla con el dedo. Lo cual, para mí, dicho sea de paso, tampoco es muy grave; al fin y al cabo nos pasamos la vida buscando personas que no existen, lugares y estados mentales imaginarios que nos han dicho que son reales, pero que jamás hemos experimentado por nosotros mismos. Fíjese, mucha gente se muda de ciudad y de pareja mil veces y a continuación otras mil, y en ninguno de esos cambios encuentra el estado literario de la felicidad, sino que topa siempre con su propia melancolía. Así es que, como comprenderá, no me asustaba pasarme dos o tres días buscando la casa inexistente de Amelia Urales de Úbeda. Pero el caso es que sí existía. Una tarde, perdida ya toda esperanza, como suele decirse, di con un viejo y descuidado chalet de inquietante aspecto, por cuyas paredes, húmedas y desconchadas, trepaban enjutas parras como nervios momificados. No sé por qué, pero al verlo supe que había llegado, que había encontrado la casa de los Urales. Tenía los postigos echados, parecía deshabitada y sobre todo parecía milagroso que hubiera sobrevivido entre los modernos bloques de pisos. Todavía está en pie, si quiere verla, en la calle Martínez Izquierdo, en el número veintiuno, creo, no me invento nada. Yo había pasado por allí en varias ocasiones y no había reparado jamás en ella; era como si hubiese aparecido de repente, por arte de magia. Abrí la cancela, que estaba comida por la herrumbre; atravesé el patio, que había sido conquistado por toda clase de hierbas silvestres, y llamé a la puerta. Tras un largo intervalo de tiempo, en el que estuve a punto de marcharme, pensando que no había nadie, me abrieron, y en el umbral apareció una mujer de mediana edad, más bien madura; pero muy atractiva. Se quedó pasmada cuando le dije quién era yo; no podía entender que me hubiera tomado la molestia de localizarla. Le digo:

–Necesito hablar con su hermano.

Me dice:

–Ahora mismo no está en casa; pero si quiere pasar, adelante.

Le digo:

–Bueno.

Total, que entré, y casi me caigo de espaldas; había una peste insoportable, como si la casa no se hubiera ventilado durante siglos. Debí de poner una cara muy rara, porque me dice:

–Lo que huele son las tuberías, que hay que sanearlas; estas casas viejas, ya se sabe, muy bonitas y todo lo que usted quiera, pero son muy caras de mantener; habría que vaciarlas por dentro y volverlas a construir con instalaciones nuevas.

Digo:

–Ya.

Me condujo por un pasillo muy angosto hasta el salón. Y entre que estaba anocheciendo y que, como le digo, tenía todos los postigos echados, a duras penas podía verse; se adivinaban sombras, muebles viejos, todo era como de otra época. Y, además, había algo espeso, no supe al principio identificar si en el ambiente o en su propia figura, porque ya le digo, no se veía bien. Me ofreció una cerveza y se sentó frente a mí. Dice:

–Perdone que no encienda la luz, pero es que se me acaba de ir. Mi hermano igual tarda un poco.

Digo:

–No importa, no tengo prisa.

Dice:

–Mejor.

Digo:

–Así que es usted Amelia Urales de Úbeda.

Dice:

–La misma.

Digo:

–He leído su carta muchas veces. Me la sé de memoria.

Dice:

–¿Y qué le ha parecido?

Digo:

–Intrigante.

Me señala un sillón y me dice:

–En aquella butaca leía yo las cartas de mi hermano.

Digo:

–Ah.

Dice:

–Mi padre, en cambio, las leía bajo esa ventana, sentado en esa silla de ruedas.

Digo:

–Ah.

Dice:

–Por la puerta por la que hemos entrado apareció mi hermano vestido de teniente para alegría de los suyos.

Digo:

–Claro, por la puerta.

Me enseñó media docena de copas que tenía guardadas en una vitrina. Dice:

–Ésas son las copas con las que brindamos el día que lo aceptaron en la Academia de San Javier, Murcia; cuando él simulaba para nosotros ser el hombre más dichoso de la tierra.

Digo:

–Ah, qué bonitas.

Dice:

–Mire, ésta es la mesa que rompió mi padre cuando expulsaron a mi hermano del Ejército; mire qué raja, completamente astillada la dejó; no tengo dinero para arreglarla y, fíjese, es preciosa.

Digo:

–Sí que es bonita, sí.

Dice:

–Aunque tuviera dinero, no la arreglaría; es una manera de recordar a mi padre, ¿no le parece?; de conservar su vida y su vitalidad; yo pienso que como la energía no se crea ni se destruye, la suya se conserva en la cicatriz de esta mesa. ¿Le parece una tontería?

Digo:

–No, no; es muy lógico.

Me señaló una pecera que estaba encima de una televisión gigantesca. Dice:

–Mire, eso que hay allí, en aquella urna, es la croqueta que le dio a mi hermano en la cabeza, cuando mi padre se enfadó, y toda la comida salió por los aires.

Digo:

–Ah; debe de estar muy seca.

Dice:

–No importa. Yo es que soy muy fetichista.

Digo:

–Ya veo, ya.

Dice:

–¿Quiere otra cerveza?

Digo:

–Bueno.

Dice:

–¿Le gusta?

Digo:

–¿El qué?

Dice:

–La cerveza.

Digo:

–Sí.

Dice:

–La hago yo misma.

Digo:

–Ah, pues está muy buena.

Dice:

–Pues tengo un puré y una longaniza que aún están mejor. También los hago yo. Le invito a cenar. Así se entretiene mientras espera a mi hermano. Además, tengo que contarle algo.

Digo:

–Muy bien.

Total, que me quedé a cenar. El puré estaba muy bueno y la longaniza deliciosa. Luego hizo café reciclado y me sirvió un orujo, que también hacía ella, fortísimo. En fin, que entre las cervezas y el orujo, y entre que yo soy como soy, ya lo ha visto, que hablo mucho de todo, le dije lo que le he dicho a usted, que era psiquiatra, y que me dedicaba a estudiar las relaciones entre los discursos y las patologías. Ella enseguida se interesó por el asunto, y estuvimos hablando de psiquiatría, y me sorprendió que tuviera tantos conocimientos sobre la esquizofrenia. El caso es que entre la cerveza, el orujo, y la conversación, pues, qué quiere, me sugestioné, la abracé fraternalmente y, sin comerlo ni beberlo, los abrazos nos llevaron a los besos. Besaba muy bien, todo hay que decirlo. De repente me dice:

–Te he mentido.

Digo:

–Ah, ¿sí?

Dice:

–Sí. O por lo menos no te he dicho toda la verdad.

Digo:

–¿Y cuál es la verdad?

Dice:

–La verdad es que mi hermano nunca ha sido militar. No es que yo te haya engañado; es que él nos ha estado engañando a todos durante mucho tiempo y todavía no me hago a la idea. De todo lo que te he dicho, la única verdad es que es manco. Su vida se precipitó cuesta abajo el día que rechazaron su ingreso en la Academia de San Javier, Murcia. No quiso decírselo a mi padre para evitarle un disgusto. Él entonces pensó que había sido un simple traspié, que su vida se suspendía por unos meses, que al año siguiente aprobaría el examen y sería todo un señor alférez. Encontró trabajo de basurero, y creyó que congelaba su vida, como dice él, y que más que mentir *adelantaba* acontecimientos cuando redactaba para nosotros aquellas cartas describiendo la vida del cuartel, que tanto hacían disfrutar a mi padre bajo la ventana del salón. Pero resulta que al año siguiente volvió a suspender, y al siguiente también, y al otro, y entonces se dio cuenta de que su vida no estaba congelada, o que se había descongelado por un fallo en la refrigeración, y que se había echado a perder; que se había convertido para siempre en un señor basurero con sus trienios y todo. De alférez sólo tenía las ínfulas. Mientras, en su casa, los tres, mi padre, mi madre y yo, le creíamos un gran capitán. Ahora pienso que tal vez el asunto fuera más terrible, y que mi hermano no percibía el fuerte olor que estaba despidiendo su vida; tal vez no se daba cuenta, y pensaba, cuando venía a Madrid vestido de militar y compartía con nosotros sus proyectos y sus posibles destinos, que seguía *adelantándonos* acontecimientos y no forjándose, irremediablemente, una portentosa vida de ficción que devoraba su vida real de basurero. Lo que empezó siendo una mentira piadosa, un aplazamiento, fue en realidad una decisión. Una mentirijilla le llevó a otra y todas las mentirijillas juntas le obligaron en un momento dado a desalojar su verdadera vida y a adoptar los ropajes de una vida fingida, que acabó resultando más densa que la real. Aunque me pregunto qué era para él más real, si la recogida de vertidos en Murcia capital o la formidable impostura que aquella congelación defectuosa y falaz le obligaba a adoptar no bien se despojaba del mono con el escudo del ayuntamiento y venía a Madrid. Tuvo que realizar un gran esfuerzo de autosugestión, en su interior tuvo que ser el alférez o el capitán que nosotros esperábamos que fuera. Si no, no se explica la profusión de anécdotas, las rápidas respuestas que daba a nuestras preguntas, la coherencia de todo cuanto nos confiaba, y los personajes que inventó, que es que yo casi los veía entrar por la puerta de nuestra casa. En ningún momento observamos nada sospechoso ni detectamos reacción extraña; fue verdaderamente un prodigio de simulación que todavía me tiene maravillada. Tan alférez debía de sentirse, incluso a bordo del camión de la basura, que no estaba a lo que estaba; y una noche, al meter un contenedor, las fauces de la trituradora engulleron su mano izquierda. Le dieron la baja por incapacidad. Se puede imaginar la pensión que le queda a un basurero. Deprimido, buscó en el mapa un punto al azar, lo más lejano posible de nuestra casita de Ventas, y se marchó nada menos que a Angola con la intención de sepultarse para siempre en el corazón de África, trabajando con una organización no gubernamental. Allí conoció a una médica sevillana de la que se enamoró. Con ella, o tras ella, no lo sé, se marchó a la antigua Yugoslavia, donde la ayudó a construir un hospital infantil. Desde todos aquellos lugares nos escribía cartas y nos llamaba por teléfono haciéndonos creer que estaba al mando de un contingente de paz. Rompió con la médica sevillana, creo que por celos; y a lo mejor fue entonces cuando cobró conciencia de su tragedia. El caso fue que tomó la decisión de urdir la última mentira, precisamente para acabar con la farsa de su vida. Se presentó en casa y fue entonces cuando dijo que lo habían expulsado del Ejército. Ya te he contado lo mal que reaccionó mi padre, no lo soportó; dio un puñetazo en la mesa del comedor y la partió en dos; y debió de malgastar en aquel gesto toda la energía que le quedaba para vivir, porque, como ya te he dicho, no duró ni una semana. Mi hermano piensa que si hubiera prolongado la ficción, mi padre hoy viviría todavía, pero esas cosas no pueden saberse. Desde entonces hasta hoy mi hermano no ha hecho otra cosa que malvivir. Se marchó a Marruecos y compró un poquito de hachís para venderlo en España e ir tirando, sin saber que las mafias de la droga están perfectamente organizadas y que la policía no permite que ningún traficante de poca monta les haga la competencia. No faltó quien se chivara y lo pillaron. Pagó en El Acebuche, la cárcel de Almería, cuatro de los seis años a los que fue condenado, y cuando salió era un ex presidiario cuarentón y manco con escasas posibilidades de encontrar un puesto de trabajo. Consiguió, sin embargo, colocarse de comercial para la zona oriental de Andalucía en una empresa líder del sector editorial. Se hacía cuatrocientos kilómetros diarios, de lunes a sábado, y recorría a continuación todos los barrios de la localidad correspondiente. Trabajaba a comisión, sin fijos; cuantas más enciclopedias del mundo natural vendiera, más cobraba. Al cabo del primer mes estaba ya reventado. Su jefe de zona, al que tenía que rendir cuentas mensualmente, debió de verle tan extenuado que le regaló un gramo de cocaína y un complejo vitamínico. Ese mes dobló las ventas, y cuando volvió a ver a su jefe le pidió que le consiguiera un poquito más de cocaína y menos complejos vitamínicos. Vale, pero esta vez te lo pagas tú, le dijo el jefe de zona, que a partir de entonces le remuneraba en especie una parte de su sueldo mensual. Y mi hermano tan contento, sin darse cuenta de que cada mes cobraba más en polvo y menos en metálico. Y el jefe tan contento. Hubo un momento en que ni la cocaína le tenía en pie; y fue entonces cuando le ascendieron a jefe de zona, al mando de un grupo de vendedores a los que tenía que distribuir por Andalucía. Se acabó lo de ir de puerta en puerta, le dijo su antiguo jefe de zona convertido en jefe de sección: cuanto más vendieran sus vendedores más cobraría él. Te recomiendo que les des cocaína en polvo, como hacía yo contigo; yo te puedo vender un kilo a muy buen precio y tú se lo administras y adulteras como quieras. Tu meta comercial debe ser que trabajen a cambio de la droga; si lo consigues, serás rico, Martín. A partir de entonces empezó a tener un poco más de dinero y de tranquilidad; pero no le duró mucho, y en cuanto tuvo la oportunidad dejó la empresa no sin antes quedarse, según me ha dicho, con algo de dinero que había sisado. La empresa no puede denunciarle, pero le está buscando; por eso se ha venido a Madrid y se ha escondido en nuestra casa. Ésta es la verdad.

Amelia empezó a llorar otra vez, y yo, que estaba, perdone la expresión, bastante cachondo, no se me ocurrió otro modo de consolarla que seguir con los besos. Y como los besos siempre se acompañan de caricias, pues qué quiere, yo toqué y palpé hasta que mi mano topó con un apéndice que no había previsto encontrar. Quiero decir que cuando me quise dar cuenta tenía mi lengua dentro de la boca de un hombre. Yo no sé si usted se lo había imaginado, pero yo desde luego ni siquiera había sospechado que Amelia pudiera ser un hombre. Cuando me di cuenta, traté de retirarme, a mí no me gustan los hombres; pero no pude, me había cogido la lengua con los dientes. Por un momento pensé que me la iba a arrancar, porque el tío tiraba y tiraba; pero gracias a Dios empezó a reírse a carcajadas, con una textura de voz muy diferente a la que había empleado hasta ese momento, y yo aproveché su risa para separarme. Me dice:

–Perdone la broma, don Ángel, quizás la he

prolongado demasiado; pero es que llevo tanto tiempo viviendo solo y esperando que llegara, que necesitaba un poquito de diversión. Perdone.

Yo iba a hablar, pero él entonces se puso el índice en los labios para pedirme silencio. Se despojó de postizos y maquillajes hasta transformarse en lo que era, un hombre corpulento. En un hombre corpulento y manco; le faltaba el antebrazo izquierdo, y yo no lo había advertido. Ahí radicaba en buena medida, me di cuenta, la rareza que destilaba su figura y todo lo que la rodeaba. Cuando terminó su metamorfosis se introdujo dos algodones en las fosas nasales, y se protegió el cráneo con una chichonera de ciclista. Ahí, en esos dos gestos, reconocí al paranoico que era, y quise irme. Me dice:

–Y una polla como una olla.

Perdone otra vez la expresión, pero es que me lo dijo así, textualmente, una polla como una olla. Me dice:

–Quieto ahí, no me obligue a amordazarlo; me ha costado un huevo traerlo hasta aquí y no voy a dejarle marchar así como así. Ahora que ya me he tapado los micrófonos, podemos hablar.

Digo:

–Tendría que haberme imaginado quién eras.

Dice:

–No se subestime, don Ángel; ellos son mucho más poderosos que usted y todavía no han dado conmigo.

Digo:

–¿Ellos quiénes?

Dice:

–Ellos los basureros.

No me dio tiempo a sorprenderme por la respuesta porque en ese preciso instante se oyó un ruido fuera, y yo, que estaba al lado de la ventana, me asomé y vi, efectivamente, un camión de basura en la puerta. En cuanto él lo vio, me agarró, me tapó la boca con una mano, abrió una trampilla disimulada en la gigantesca pantalla de la televisión, y se lanzó conmigo en los brazos. Dice por el aire:

–Le han seguido.

Caímos sobre blando, sobre plástico me pareció que era. Y cuando encendió la luz de lo que parecía ser el sótano, comprobé que habíamos aterrizado sobre bolsas repletas de basura. Lo que allí había era indescriptible; aquel tipo había acumulado toneladas y toneladas de desperdicios; de allí provenía el nauseabundo olor que impregnaba toda la vivienda. Me dice:

–Imagínese, don Ángel, ocho años sin tirar la basura, ya me dirá; no querrá que huela a rosas.

Y ahora, por favor, guarde silencio si no quiere que le mate de una hostia.

Estuvimos media hora en silencio. Él me miraba fijamente; pero yo evitaba el contacto visual; prefería mirar las ratas, las cucarachas, y unos bichos muy raros, cruces o mutaciones genéticas que no es el momento de describir ahora. Cuando juzgó que ya podíamos hablar, me preguntó si yo sabía quiénes eran los del camión. Digo:

–Los basureros.

Se me queda mirando y me dice:

–Don Ángel, no tiene usted ni puta idea de lo que se cuece en el mundo.

Digo:

–Ah, ¿no?

Dice:

–No; por eso le he hecho venir.

Digo:

–¿Que me has hecho venir? Tú no sabes lo que me ha costado encontrarte.

Dice:

–Qué presuntuoso es usted, don Ángel; o sea, que la carta que le he mandado haciéndome pasar por mi hermana no ha tenido nada que ver en su decisión de buscarme por todo Madrid; o sea, que los silencios que he guardado, las contradicciones en las que he incurrido para intrigarlo, las pistas que le he ido dejando por el camino, y los besos con lengua que le he metido, todo eso es papel mojado. ¡Hombre, por favor, don Ángel, no me joda!

Digo:

–Bueno, vale, suponiendo que sea así, ¿para qué me has traído?

Dice:

–*Traído* no es la palabra: *atraído* sería más apropiado.

Digo:

–Bueno, *atraído;* ¿para qué me has *atraído?*

Dice:

–Para que sepa de una vez por todas quiénes son sus enemigos; para abrirle los ojos, y porque tengo puestas en usted, don Ángel, todas mis esperanzas. De cuantas personas he conocido, y he conocido muchas, es usted la más adecuada.

Digo:

–La más adecuada para qué.

Dice:

–La más adecuada para acabar con el omnímodo poder de los basureros. Usted es íntegro, lo sé porque utiliza desde hace años maquinillas de afeitar desechables por más que se lancen al mercado otras de doble y triple apurado; es idealista porque no consume alimentos transgénicos, aunque sí he encontrado cáscaras de pipas de calabaza, lo que significa que es usted tenaz y perseverante; y sobre todo es usted arrojado porque bebe mucho café, aun sabiendo que le perjudica. Como ve, llevo años clasificando su basura.

Digo:

–¿Qué es eso de que has clasificado mi basura?

Dice:

–Luego se lo cuento.

Digo:

–No entiendo para qué tanto misterio.

Dice:

–¿Que no entiende para qué tanto misterio? Pero, hombre, por favor, ¿no ha visto usted, don Ángel, lo que han tardado en localizarme tomando, como he tomado, todas las precauciones? Hombre, por favor, como para no andarme con mil ojos; usted se cree que llevo algodones en la nariz y chichonera en la cabeza porque estoy majareta; pero no estoy loco; los basureros me han implantado micrófonos en los agujeros de la nariz y un chip identificativo en la corteza cerebral.

Digo:

–Venga, vale; ábreme los ojos, pero hazlo rápido, por favor.

Eso le molestó, y me dio una bofetada. Dice:

–Un poquito de respeto.

Digo:

–Perdona.

Dice:

–¿Sabe quiénes estaban ahí arriba?

Digo:

–¿Otra vez?

Dice:

–Sí, otra vez.

Digo:

–Los basureros, los he visto con mis propios ojos; pero no quiero decirlo, porque parece que te molesta.

Dice:

–Lo que me molesta es su seguridad, don Ángel; esos de ahí arriba no son basureros.

Digo:

–Ah, ¿no? ¿Qué son?

Dice:

–Policía política.

Yo me tuve que reír.

Dice:

–Vaya, parece que me he equivocado con usted también; bueno es saber que el examen de la mierda no es perfecto; la soberbia de sus certezas, don Ángel, le impide escuchar a la gente, como a casi todo el mundo.

Le digo:

–Venga, vale, no me río más.

Dice:

–¿Va a tener usted la humildad suficiente para escucharme por lo menos?

Digo:

–Te lo prometo.

Dice:

–A ver si es verdad.

Digo:

–¿Y ahora qué?

Dice:

–Ahora olvídese de todo lo que le ha dicho mi hermana Amelia, y ponga la mente en blanco.

Digo:

–Venga, ya la tengo en blanco.

Dice:

–Entonces escuche. Yo he sido cinco años basurero...

Digo:

–Pero, vamos a ver, ¿no hemos quedado en que todo lo de tu hermana es mentira?

Dice:

–No, no hemos quedado en eso; he dicho que se *olvide* de todo lo relacionado con mi hermana Amelia y que ahora me preste *a mí* mucha atención. ¿Me va a prestar mucha atención?

Digo:

–Sí.

Dice:

–Bien; entonces comienzo otra vez.

Y dice:

–Yo he sido cinco años basurero. Cuando ingresé en el cuerpo me asignaron un camión y un par de compañeros, Paco Platero y el Gota. Platero era pequeño, peludo, suave, tan blando por fuera que se diría todo de algodón, que no lleva huesos. El Gota era todo lo contrario. El trabajo no podía ser más rutinario: hacíamos nuestro recorrido deteniéndonos en los puntos de contenedor, fijados de antemano, cogíamos los cubos y los volcábamos en el interior del camión. Hay gente muy hija de puta que no cierra bien las bolsas, y cuando vas a volcar el cubo, se te cae toda la mierda encima, los yogures naturales te besan la frente y las raspas de pescado se te enredan en el pelo como un peine grasiento. Al principio es asqueroso, repugnante; pero a todo se acostumbra el ser humano. Luego descubres que quienes han mal atado las bolsas no son los ciudadanos, sino tus propios compañeros. Los jefes quieren que te vayas quemando poco a poco, lo cual no es difícil, porque, como digo, se trata de un trabajo rutinario y mecánico, que deja mucho tiempo para pensar. Y por si fuera poco, los compañeros también se encargan de calentarte la cabeza. Que si estamos hasta los cojones de recoger la mierda de la gente; que si esto no es vida; que si éste es el trabajo más repugnante que existe; que si es el peor pagado; que si está poco reconocido socialmente; que a ver qué pasa si un día nos declaramos en huelga, etcétera. Luego está el olor; aunque uses guantes y ropa especial, la peste de los desechos se impregna de tal modo en el pelo y en la piel, que no hay modo de eliminarla; ya te puedes duchar treinta veces, que no dejas de oler a basura en descomposición. Las dos primeras semanas son muy malas; uno cree que va a volverse loco por esto del olor, ya le digo, pero luego te acostumbras. Luego descubres que es la propia empresa la que se encarga de rociar con un espray indeleble los contenedores que tú tocas para marginarte socialmente y cultivar tu resentimiento; se supone que así, llegado el momento, abrazarás sin reservas sus propuestas, la verdadera tarea que un buen día los jefes deciden confiarte en el mayor de los secretos. ¿Y cuál es la verdadera tarea? Que los camiones no trituran la basura, por más que los engranajes hagan un ruido estremecedor, sino que la trasladan a un sofisticado centro de inteligencia y control. Antes de entregarla para su análisis, la patrulla de cada camión tiene que identificar cada bolsa. Hay un margen de error, desde luego; pero normalmente la última persona que toca una bolsa de basura suele ser siempre su dueño. No obstante, cuando las huellas, que el plástico del que están fabricadas conserva maravillosamente, coinciden con las que se han impregnado en los desechos que contienen, estamos ante el dueño de la basura. Cada vecino tiene asignado un chip, que se adhiere a cada bolsa antes de enviarla al laboratorio. Por eso no le recogían la basura a usted, don Ángel, porque eso hubiera falseado su ficha y se hubieran bloqueado los programas. En el laboratorio los analistas llevan a cabo una minuciosa tarea; en primer lugar identifican y registran cada desecho: monda de naranja, raspa de lenguado, yogur natural, compresa, envase vacío de Bisolvón, cáscara de nuez, poso de café molido mitad natural mitad torrefacto, etcétera. Algunas veces es difícil, no se crea, y siempre repugnante. En los países más avanzados esta tarea la llevan a cabo los propios ciudadanos, que separan y clasifican su propia basura, creyendo que con ello mejoran el medio ambiente, la gente es cada vez más sensible a estas cosillas y hace caso; pero aquí en España nosotros estamos a años luz de todo eso. La gente es muy bestia, y sin quererlo se lo ponen difícil a la central de inteligencia. Alguna ventaja habría de tener el tercermundismo. Ahora, de todos modos, están intentando implantar en toda España el mismo programa que en Galapagar, que ahorra mucho tiempo y mucho dinero. Toda esta información se va procesando. Cada vivienda tiene su propia ficha informática, y en ella se van añadiendo día a día los desechos que se detectan. Con la ayuda de sofisticados programas informáticos, se puede trazar al minuto la vida de una familia y de sus individuos; pueden saber cómo van de dinero a fin de mes, sus gustos, sus fobias, la frecuencia de sus relaciones sexuales; sus tendencias de voto, sus ilusiones, sus planes, y sus estados de ánimo; todo puede medirse por la cantidad y frecuencia de yogures edulcorados que consumen o por los paquetes de galletitas, eso ya depende de los hábitos alimentarios de cada cual, que hay que estudiar minuciosamente antes de extraer conclusiones. La empresa de recogida de basuras ha tejido una espesa tela de araña, una red de información perfectamente urdida en la que participan no sólo los basureros, sino también las limpiadoras de edificios públicos y privados, las únicas que tienen acceso a todos los despachos con su llave maestra, así como las inocentes y leales asistentas que nos dejan la casa como los chorros del oro, sacando de ella los restos portadores de nuestros más inconfesables secretos, problemas, deseos e intimidades. Y encima las pagamos. Yo soy el único basurero que ha desertado de la empresa, y desde entonces mi vida es una perpetua huida. Descubrí que me habían implantado micrófonos en las fosas nasales y metales magnéticos en la corteza cerebral. No puedo entrar en el Museo del Prado porque pito en los detectores, aparte de que me localizarían; por eso llevo esta chichonera de ciclista, para que absorba las emulsiones. Decidí cambiar mi aspecto y hacerme pasar por mujer, por mi hermana, y así llevo viviendo varios años, sin hacer una sola compra en el súper, sin consumir fungibles, sin generar vertidos para no ser detectado, reciclando mi basura y alimentándome lo mejor que puedo con mis propias heces. ¿A que estaba buena la cerveza, el puré y la longaniza que se ha metido? Pues claro, don Ángel, si es que tenemos muchos prejuicios; la mierda humana es la gran desconocida de nuestra cocina. Cuando termine todo esto, a ver si lleno este vacío y escribo un libro con un plato para cada día. No sé si titularlo *Las semanas del jardín o 1.080 recetas de mierda*, ya veremos.

El caso es que cuando estaba diciendo esto, debió de ver que yo ponía cara rara, la misma exactamente que está poniendo usted, no sé, el caso es que de repente se puso en pie y me dijo que estaba harto de que lo mirara como lo estaba mirando, y que ahora mismo íbamos a ir los dos y nos íbamos a meter dentro de un camión de la basura para que yo comprobara que él tenía razón, que si algo no soportaba era que lo tomaran por loco. Así que me ató, me amordazó, me sacó a la calle por una puerta trasera, y nos agazapamos detrás de unos contenedores. Cuando llegó el camión de la basura, y los basureros que van en el estribo trasero se bajaron a por el primer contenedor, Martín me cogió en brazos y corrió hacia el camión. Me vi muerto, triturado por aquellas fauces de acero. Yo no sé qué hice, de dónde me agarré, la adrenalina es maravillosa; el caso es que en el último momento, él tropezó y me soltó; yo caí fuera y él cayó dentro; yo aún estoy vivo y él desapareció para siempre.

Imaginemos que el tren se detiene en este punto, en una estación intermedia, y que Sanagustín interrumpe su relato para preguntarle a la mujer si tiene hambre. Él, dice, suele bajarse siempre en esta parada y comprar un sándwich en la cantina. A la mujer le parece buena idea, pero quiere invitar. Sanagustín acepta a regañadientes el dinero que ella le entrega, y a su vez le tiende la carpeta roja con sus escrituras:

–Cuídemela, por favor –le pide–; dentro está mi libro sobre la esquizofrenia.

A través de la ventanilla la mujer lo ve apearse y entrar en la cafetería. No transcurren ni treinta segundos desde que Sanagustín desaparece tras la cristalera del snack-bar cuando la mujer nota horrorizada que el tren inicia de nuevo la marcha. Ella se tensa y espera verlo salir corriendo y alcanzar el vagón, pero Sanagustín no aparece y el tren se aleja irremediablemente, dejando al psiquiatra en tierra. La mujer se ha quedado petrificada, incrédula, mirando el paisaje por la ventanilla, con la carpeta roja sobre los muslos, confundida y hambrienta.

Las personas

El problema de Helga Pato con las personas era que confundía a los narradores con los autores y a éstos algunas veces con los personajes. En su caso no puede decirse que se tratara de una lectora inocente o inadvertida, sino todo lo contrario; cuando conoció a W en la Feria del Libro de Frankfurt era ya una veterana estudiante de doctorado, a punto de terminar una polémica refutación de la autoría colectiva en la épica medieval. Se suponía que una lectora tan curtida como ella debía establecer de modo mecánico y sin dificultad una distinción tan básica. Y sin embargo no fue capaz; se coló. Cuando lo de Frankfurt W era ya un célebre escritor muy leído por la izquierda. Helga Pato lo admiraba y se acercó a su stand para pedirle una dedicatoria. Él inmediatamente percibió bajo sus pantalones unas ingles poderosas, y en vez de la dedicatoria escribió una dirección. Ella creyó que en ese momento comenzaba una novela de amor que trataba de una chica que decidía anular una beca de postgrado y abandonar la refutación de la autoría colectiva de la épica medieval para irse a vivir con su autor favorito al último piso de un rascacielos en el centro de Madrid. Ella tenía veintinueve años y él cincuenta y dos. Ella creyó que se casaba con su autor favorito, pero en realidad se había enamorado del narrador, y se casó con un personaje.

Durante el primer año todo marchó sobre ruedas. W no escribió una línea y Helga no leyó una palabra. Comían, follaban y algunas veces bebían agua y otras veces bebían whisky. Hicieron planes desde lo alto de la torre, y fue él quien le propuso en algún momento que se convirtiera en su agente literaria, que lo representara. A ella le pareció una idea excelente, y así fue como fundó Imagen y Representación, la que sería su agencia. Enseguida le llegaron manuscritos que ella leía con profesionalidad, de cabo a rabo, quitándose horas de sueño y eligiendo entre ellos los mejores, que casi nunca eran los más rentables, pero que el editor de su marido publicaba resignadamente por miedo a perder los derechos de W. Aquel primer año, Helga vivió en una nube, en lo alto de un rascacielos; era feliz, según la definición que de la felicidad dan casi todos los manuales de superación personal y los libros de poesía.

Y como no hay felicidad que cien años dure, la suya se empezó a torcer al año siguiente. Las relaciones sexuales se espaciaron, y dejaron de hacer planes desde la torre. W reanudó su actividad habitual; escribía, asistía a congresos, daba conferencias, hacía presentaciones y se acostaba ocasionalmente con alguna lectora. Helga por su parte se refugió en la negociación editorial y en la lectura de manuscritos. Como eran adultos, y muy civilizados, hablaron sobre la crisis que atravesaba la relación, trataron de analizar las causas y de proponer soluciones, pero de sus bocas salieron quejas y acusaciones, que se convirtieron en gritos feroces y en insultos. La catarsis culminó con una extravagante reconciliación a base de whisky y sexualidad. Terminaron borrachos sobre la alfombra, intentando embutir de algún modo, en algún sitio, el pijo flácido y frío de W, del que cada vez era más difícil obtener (y conservar, que es lo importante) una provechosa erección. Y entonces el célebre escritor, que pensaba que la sexualidad carece de connotaciones ideológicas y que para alguien muy leído por la izquierda resultaban muy apropiadas algunas prácticas eróticas que no estuvieran digamos muy extendidas entre la masa, le hizo una lluvia dorada sobre la frente, la cara y el pecho, que Helga recibió sin protestar, sumisa, con los ojos cerrados y la cabeza ligeramente alzada. Lo consintió para conservarlo, sin saber que con su actitud no estaba ni mucho menos reparando su matrimonio, sino firmando las nuevas premisas de una humillante relación, una rendición sin condiciones. Ni siquiera tuvo el arrojo de marcharse cuando W le comunicó, por el mero placer de humillarla, que cambiaba de agente al obtener cierto premio de gran prestigio, un reconocimiento a su labor literaria defensora de los valores morales y comprometida con la regeneración ética de la sociedad. Helga se limitó a cambiar su estrategia de representación para poder sobrevivir sin los derechos de su marido. Abandonó la literatura de calidad y buscó fórmulas que le permitieran ganar dinero. Y así fue como se le ocurrió insertar publicidad en los libros. Pero no en la cubierta, aunque también; ni en la contracubierta, aunque también; ni en las solapas, aunque también; sino *en* los libros, *dentro* del texto, entretejida a la trama, o separando los capítulos.

Exigió que los autores no enviaran manuscritos sino dossieres; y desde entonces tiraba a la basura todas las novelas completas y examinaba sólo aquellas carpetillas que incluyeran fotografía, currículum vitae y breve sinopsis a doble espacio, lo que le permitía a ella evaluar las posibilidades de incluir publicidad. Durante meses le siguieron llegando esos melancólicos bodegones sobre la guerra civil, la preguerra civil o la posguerra civil, que los nacidos en los años cuarenta y cincuenta se empeñaban en recrear una y otra vez en narraciones que confundían la seriedad con el tedio, la ñoñería con la sensibilidad, y que incluían personajes que se llamaban Inés o Alfonso, y complementos circunstanciales del tipo «con la lenta parsimonia del verdugo». Podían tener toda la autenticidad que quisieran y la contundencia de lo que ha sido insuflado con el soplo divino de la verdad, pero no dejaban ni un resquicio para la publicidad. Tampoco le interesaban ya las novelas tiovivo, la especialidad de su marido, esas páginas reflexivas, falsamente reflexivas, que no llegaban a ninguna parte, que daban vueltas y vueltas para deleite del lector a una anécdota más o menos trivial, más o menos original, hasta que se paraban en el mismo punto del que habían partido sin una maldita pausa para la información comercial.

Cierta mañana cayó en sus manos uno de los

dossieres que habían ido formando la enorme pila de su mesa. Por la foto le pareció que el autor podría cumplir los requisitos exigidos. Se trataba de un joven con la mirada turbia, que parecía enfadado. Se peinaba a flequillo y tenía melenita. Vestía una cazadora vaquera, pañuelo al cuello, pantalones negros ajustados, marcapaquete y zapatillas de deporte. El nombre era bueno también: se llamaba Ander Alkarria, en adelante EL AUTOR. Había escrito una novela titulada *Lobotomía*, en adelante LA OBRA, que planteaba, según explicaba en su sinopsis, la inquietante hipótesis de que todo lo que aparecía en la pantalla del televisor fuera una ficción que seguía las directrices de un guión previamente establecido. Los célebres incidentes en el País Vasco, por ejemplo, eran ejecutados frente a la cámara por especialistas bien entrenados. Los participantes en los concursos de preguntas y respuestas eran en realidad actores profesionales que desempeñaban el papel de ciudadanos normales y nerviosos que simulaban entusiasmarse con premios asignados de antemano. Los partidos de fútbol seguían las pautas ideadas por un equipo de diseñadores de contenidos, como se llaman ahora los escritores, que dosificaba las jugadas peligrosas, los incidentes en las gradas y que colocaba los goles en los minutos más adecuados para arrasar en los índices de audiencia. LA OBRA estaba escrita en forma de diario por un teleadicto en paro que era reclutado en internet por una extraña empresa de publicidad que le pedía que escribiera fragmentos. ¿Fragmentos? Sí, fragmentos. Fragmentos de un saludo, fragmentos de un incidente deportivo, fragmentos de preguntas, fragmentos de respuestas o fragmentos de noticias. Este modo de organización le impedía a él saber a ciencia cierta qué estaba haciendo, para quién trabajaba y cuál era el uso que hacían de su creación; pero maldita la falta que le hacía a él saber todo eso; a él le bastaba con recibir todas las semanas su generosa transferencia bancaria. Hasta que un día reconocía en una noticia del telediario un detalle inventado por él, basado en su propia biografía. A partir de aquí, el guionista teleadicto trataba de reconstruir su vida, su trabajo y la realidad toda con la única ayuda de los fragmentos que él iba inventando y reconociendo en las retransmisiones deportivas o en los documentales.

Helga no sólo se dio cuenta de que el libro vendería, sino de que el blanco que separaría tales fragmentos era un espacio que, bien gestionado, podía venderse a muy buen precio. Helga le pidió a su secretaria que le pusiera con EL

AUTOR para soltarle cuanto antes el monólogo del dinero, que ella había redactado con mimo, siguiendo los eternos y efectivos principios de la Retórica.

–He leído tu dossier y LA OBRA me ha parecido excelente está escrita con mucha rabia interior se nota que eres un rebelde sólo hay una cosa que no me gusta la veo no sé cómo decirte muy fragmentaria me hubiera gustado que fuera más no sé más lineal ya sé que la vida no es lineal que la vida es fragmentaria que nuestro mundo es un mundo fragmentario y que nuestra percepción es también fragmentaria lo que pasa es que las novelas no tienen por qué reflejar fielmente la vida eso está muy bien para el siglo diecinueve pero estamos en el veintiuno Ander en el siglo veintiuno cómo pasa el tiempo además para reflejar la vida ya está el cine aunque la vida sea un lío que lo es tú podrías esforzarte un poquito más y escribir una historia clarita a la gente le gustan las cosas lineales la gente hoy día no tiene tiempo para andar pegando trocitos tú eres un escritor y a los escritores se les paga para que tengan imaginación uno de los autores que represento quería escribir una novela policiaca y el otro día cometió un crimen para ver cómo funcionaba la policía quería ver si acudía rápidamente al lugar del crimen cómo trataba al detenido todo eso bueno pues lo han cogido y lo han metido en la cárcel y allí está sin poder escribir una línea pendiente de juicio Vicente Foiegrass se llama no sé si te suena si eres escritor invéntatelo todo qué más da cómo sea la vida la gente te paga para que la imagines ya sé que tú no escribes para vender eso por descontado pero no está de más hablar de ventas que sepas que las editoriales se están peleando por ti sí por ti que me están poniendo mucho dinero sobre la mesa por LA OBRA el único inconveniente es que es muy fragmentaria que hay mucho espacio en blanco y que no amortizan el papel el papel se ha puesto carísimo Ander carísimo no te estoy pidiendo que la cambies jamás te pediría que cambiaras una línea para mí estas cosas son sagradas pero sí creo que podríamos acentuar no sé su sarcasmo y su poder de crítica social que son creo no sé qué te parecerá a ti las dos columnas principales de LA OBRA te preguntarás cómo pues te lo voy a decir incluyendo anuncios de publicidad entre los fragmentos sí has oído bien incluyendo publicidad información comercial la idea no se me ha ocurrido a mí se le ha ocurrido a una empresa de marketing que está entusiasmada con LA OBRA te das cuenta LA OBRA es tan buena que quieren comprar no sólo el negro sino también el blanco eso sí que es subversivo Ander imagínate cómo se iban a poner los críticos la gente de letras los puristas si publicas una novela que se interrumpe para incluir anuncios lo cual fíjate por otra parte es muy lógico siendo como es tu narrador un teleadicto, o sea que estaría perfectamente justificado y con eso matábamos dos pájaros de un tiro no te parece porque seguiría siendo fragmentaria como tú quieres y al mismo tiempo habría una cierta continuidad como quieren las editoriales texto anuncio texto anuncio ni que decir tiene que tú te llevas el diez por ciento de lo que paguen que es mucho pero bueno ése es otro tema quizás el menos importante qué clase de publicidad incluiríamos eso tampoco tiene importancia lo importante es la subversión que encierra ese gesto la subversión Ander la subversión eso es más perturbador y molesto que escribir sin signos de puntuación parece mentira que te lo tenga que decir yo a ti que soy una podrida burguesa los críticos se van a rasgar las vestiduras vas a salir en todos los periódicos si te encuentras ante una disyuntiva piensa que los dilemas morales a la hora de ganar dinero son las trampas que la burguesía coloca en el camino de los escritores con la esperanza de que caigan en ellas y sigan siendo pobres y espirituales hay que negarse a colaborar en la construcción de ese espejismo Ander de ese implante que necesitan los poderosos para no sentir vértigo cuando se miran al espejo y ven que son lo que son en realidad: pedazos de carne putrefacta ávida del dinero que tú rechazas.

El monólogo del dinero hizo efecto, como no podía ser menos, y Ander Alkarria publicó *Lobotomía.* La novela fue saludada con simpatía por la crítica, que con la hondura, el rigor y la sensibilidad que caracterizan su lúcido discurso escribió:

El libro de Ander me ha gustado mucho. Trata de un chico joven que escribe guiones de las cosas que pasan en el telediario, en los partidos, etcétera. La idea es muy original y me ha gustado. También me ha gustado porque pone entre los capítulos como si dijéramos unos anuncios de publicidad que te pueden servir a lo mejor porque quieres comerte una pizza que te apetece y no encuentras en ese momento el teléfono y vas al libro y lo encuentras y mientras esperas la pizza pues lees un cacho. El lenguaje que utiliza es muy rico y variado abundando los nombres comunes o sustantivos, los adjetivos calificativos y los verbos como mirar, decir, pensar, etcétera, por ejemplo. También me ha gustado la foto que pone, aunque parece mayor de lo que dice. Yo lo conocí en la presentación del libro y me pareció un chaval muy simpático y dicharachero, que estaba de acuerdo conmigo en todo y luego me invitaron a cenar y me puse morado, la verdad. Luego nos fuimos a unas discotecas con otras personas del mundo de las letras. Sólo decir que nos lo pasamos requetebién, aunque me sentaron mal los calamares. Análisis del contenido: decir que como hoy la falta de tiempo es un problema de todos y todo el mundo va con prisa a todos los sitios, como el trabajo, la universidad, a comer, etcétera, me pienso que el libro está escrito en trocitos por eso. Los personajes son muy reales, teniendo mucha entidad psicológica, que parecen totalmente extraídos de la más cruda sociedad. El protagonista es individualista, aunque tiene buen corazón, es sincero, trabajador, celoso y le gusta dormir. Su novia no aparece mucho, pero yo me la imagino guapa y comprensiva y con los ojos azules, y yo creo que es importante para él. Mi opinión personal en resumen es que el libro está bastante bien y trata problemáticas actuales con un lenguaje rico y variado como he mencionado.

El hispanismo estadounidense, por su parte, no tardó en prestar atención a esta novela que serviría para ejemplificar las posturas de todas las escuelas interpretativas, desde las más tradicionales hasta las situadas en los extremos postestructuralistas, pasando por la sociología de la literatura, el marxismo y los llamados Peace Studies. Durante lustros Ander Alkarria sería llamado de todos los lugares imaginables para hablar de su novela. Su fama empezó a decaer hasta ser completamente olvidado cuando, hastiado de comparecencias públicas, cócteles y universidades de verano, se dedicó en serio a escribir.

Por su parte, W enseguida se dio cuenta de la situación, de la dependencia psicológica que generaba en su esposa; se percató de que tenía una esclava, una geisha dispuesta a todo por amor, y durante un año largo la sometió a refinadas torturas psicológicas como la destrucción de la estima o los celos, a humillaciones morales en lugares públicos y a vejaciones físicas de carácter sexual que incluían juegos con flujos y excrementos, dolor físico y sufrimiento general. W, que tenía según la crítica una gran capacidad de observación, tomaba notas sin que su asombro se agotase ante la capacidad de aguante que había desarrollado su esposa.

Hasta que el éxito de Ander Alkarria le proporcionó a Helga la confianza en sí misma y la autonomía económica que necesitaba para empezar a tomar decisiones. La de matarlo la tomó, con todo, a raíz de conocer a Fat en una de esas páginas web que asesoran en la comisión de parricidios, beloved.com, y que contenía documentación sobre los más célebres, un compendio de leyes y sentencias, consejos prácticos, enlaces y la chat-room donde se conocieron. A lo largo de varios meses de conversación, Fat le fue abriendo poco a poco su corazón, como se suele decir. Le confesó que había sido siempre la gordita de la clase. Le contó que cuando llegaba del colegio, se tumbaba a leer y a comer chucherías; que jamás había hecho deporte. A los once años pesaba noventa kilos; su cuerpo espantaba a las chicas, y su cultura, rebosante de lecturas impropias de su edad, asustaba a los chicos; pero a ella todo eso le daba igual, en el fondo despreciaba a sus contemporáneos. Fat se había pasado la infancia sola. Hasta que un día, acababa de tener su primera regla, al bajar del autobús escolar un coche le cedió el paso, y el conductor, un chico guapísimo, se la quedó mirando mientras cruzaba; ella se paró y lo miró también; y entonces él sacó la cabeza por la ventanilla y le gritó:

–¡Cruza ya de una puta vez, gorda de los cojones!

Le dio un vuelco el corazón; fue como si le

abrieran los ojos, como si después de una larga amnesia recobrara su verdadera identidad. Llegó corriendo a casa, sofocada, se miró al espejo, y por primera vez en su vida se vio gorda, y se echó a llorar. Estaba sola, como siempre, y se pasó todo el día llorando. Llorando y comiendo maíz inflado. A partir de entonces dejó los libros y se consagró a las revistas de belleza. Se puso a dieta, un régimen salvaje; y empezó a hacer deporte de un modo compulsivo, pensando siempre en gustar al chico del coche. Hizo un curso de aeróbic, obtuvo el título de monitora y consiguió un cuerpo perfecto. Pero el chico del coche no apareció. Para entonces Fat ya trabajaba en un gimnasio que se reservaba el derecho de rescindir el contrato a las monitoras que rebasaran los cincuenta y cuatro kilos. Fat se pesaba a todas horas. Bebía un vaso de agua y se pesaba. Respiraba y se pesaba, y si alguna vez, pese a los sacrificios, alcanzaba ese límite, se venía abajo; se acercaba a hurtadillas a la nevera, y perdía el control. Comenzaba usando cuchara, pero enseguida abandonaba el cubierto y empezaba a comer con las manos. Terminaba abriendo un periódico, extendiéndolo en el suelo, y echando sobre él cuanto encontraba. Al término del festín, se sentía mugrienta y asquerosa; débil, monstruosa, y sobre todo gorda.

Se encerraba en el baño y vomitaba, y conforme expulsaba los alimentos recién comidos se iba sintiendo limpia por dentro y por fuera. A veces ni siquiera se levantaba; se metía los dedos y vomitaba, mezclando la comida con su propio devuelto. Aunque había alcanzado extremos impensables de degradación, se acabó acostumbrando: sonreía por el día y vomitaba por la noche. Se convirtió en una virtuosa de la simulación, de la doble personalidad. La gente creía que era más o menos feliz, o que tenía los problemas de todo el mundo, pero nadie sospechaba que ella, con lo delgadita que estaba, pudiera padecer precisamente *ese* problema. Deseaba hablar, y por eso se enamoró de la primera persona a la que pudo contárselo todo. Manoel escuchaba. Que fuera psicólogo y que ella le pagara para eso no cambiaba las cosas. Manoel fue muy estricto en el tratamiento, y la severidad funcionó: no sólo le prohibió que dejara el gimnasio, sino que la animó a que abriera uno propio porque eso le serviría de acicate para controlar el peso. También la obligó a cocinar platos deliciosos, que él supervisaba. Y quién lo iba a decir, lo conquistó por el estómago, se casaron, él dejó la psicología y se instaló un despacho en el gimnasio, al lado del vestuario de señoras, para llevar la contabilidad. Hasta que un día Fat se enteró por casualidad de que Manoel no era psicólogo, sino veterinario. Entró de improviso a pedirle explicaciones, y allí lo pilló, cara a la pared que daba al vestuario, mirando por un agujerito, con los pantalones bajados y el ojo derecho guiñado, resuelto a no conceder el divorcio así lo mataran. Fat le narró a Helga Pato su experiencia con el Anabarbital, un poderoso tranquilizante que no dejaba rastro y que podía conseguirse por correspondencia y sin receta en las consabidas direcciones de internet. Helga también le contó su vida, y una vez que ambas hubieron abierto sus corazones a través de la electrónica, Helga se atrevió a proponer que se conocieran en persona. Después de mucho pensar, quedaron un miércoles 13 de abril, a las 5.00 p.m. Eastern Time en la signatura DP 233.B7.C10 de la biblioteca central de la State University of New York at Stony Brook. Quien llegara primero cogería el libro y esperaría.

Helga Pato aprovechó aquella cita para visitar a su antiguo profesor, Adrián Montoro, la persona que le hubiera dirigido su tesis sobre la autoría colectiva de la épica medieval de no haber conocido a W y haberlo dejado todo por amor. Montoro era además una especie de consejero personal. Siempre había estado dispuesto a escucharla paciente y cariñoso en esos momentos de tribulación y desánimo que se apoderaban de Helga en el extranjero antes de comprender que el extranjero no es un lugar, sino un estado de ánimo. Él nunca le reprochó nada, ni siquiera trató de convencerla cuando Helga decidió abandonar los estudios literarios y casarse con W. Desde entonces lo visitaba periódicamente, primero en Alemania y luego en Nueva York. Ella lo había convencido para que le permitiera representar sus libros en todos los países de lengua española, y con la excusa de mantener encuentros profesionales pasaban juntos una semana al año hablando siempre de lo mismo con ligeras variaciones en los planos léxico y morfosintáctico. Cuando Helga llegaba a Nueva York, Montoro, que ya era demasiado viejo para conducir, la esperaba en el aeropuerto, y le preguntaba dónde quería ir. Helga no lo dudaba. Donde siempre, decía. *Donde siempre* era Tara's, una vieja y ruidosa taberna tenuemente iluminada por las luces que indicaban las salidas de emergencia y por el fulgor de los televisores, que parecían retransmitir perpetuamente partidos de béisbol o baloncesto. Montoro siempre trataba de convencerla de que fueran a un lugar más europeo, o más cubano, o por lo menos más tranquilo, porque lo cierto era que su venerable estampa llamaba la atención en aquel ambiente estruendoso y juvenil. Helga elegía una mesa apartada, pedían langosta y cerveza, y mientras esperaban repetían la conversación del año anterior. Que a Helga le aburría leer cada vez más. Que no sólo le aburrían las novelas de sus escritores, de los escritores de su agencia, que le aburrían *todas* las novelas, decía. Que si había abandonado los estudios literarios había sido porque no creía en ellos, porque de pronto le parecieron una vía muerta, un esfuerzo que no conducía a ninguna parte, una actividad inútil y estéril, un subgénero mediocre y pretencioso de la ficción en prosa. Montoro se subía por las paredes. Él, venía a decir, todo lo que sabía y todo lo que era se lo debía al estudio y a la lectura. Helga no estaba de acuerdo; para ella Montoro se lo debía todo a su envidiable biografía. Adrián Montoro había sido ministro de Cultura en Cuba hasta que en 1963 se exilió a Nueva York, en cuya universidad pública enseñó Teoría de la Literatura. Años después recibió una oferta del Instituto Goethe para dirigir el programa doctoral, y allí lo conoció Helga. Cuando se jubiló, Montoro regresó a Estados Unidos y se instaló en Setauket, un pueblecito del estado de Nueva York. Sin duda se lo debo también a la vida, decía él. *También* no, *sobre todo* a la vida, matizaba ella. Bien, de acuerdo, *sobre todo* a la vida, parecía conceder Montoro, pero yo no hubiera sabido aprovechar la vida, disfrutar la vida, entender la vida, protegerme de ella, si no me hubiera pertrechado de libros. Libros, libros, libros. El mundo cambia, Adrián, le advertía Helga con un punto de lástima, cambia vertiginosamente; yo, por ejemplo, ya me siento vieja para casi todo, siento que mi formación, mis valores, los libros, las cosas en las que siempre he creído han caducado; y tú ya ni te cuento, tú eres una momia, Adrián. Pero Montoro no se enfadaba, contraatacaba con cierta ironía: Es cierto, decía, que el mundo cambia, es cierto que tú eres vieja, podría incluso aceptar que yo soy una momia, pero las personas... las personas no cambian tanto, Helga, las personas siguen siendo las mismas. A mí la literatura me ha servido para conocerlas, para entenderlas. Y así se tiraban horas y horas. Aquella vez, sin embargo, aunque Helga trató de conducir la conversación por el camino de siempre, por las consabidas afirmaciones y réplicas, Montoro no respondió. Al principio Helga atribuyó a la edad el evidente desfase entre su propio entusiasmo por el encuentro y la apatía de su anfitrión; más tarde se dio cuenta de que era otro el motivo. Pero no adelantemos acontecimientos. Habíamos dejado a Helga Pato partiendo hacia Nueva York para conocer en persona a la electrónica Fat y reencontrarse con su antiguo profesor. Antes de salir, le puso a su marido un whisky con diez centímetros cúbicos de Anabarbital, y brindó con él por el porvenir. W le pidió que le dejara mearla antes de que se fuera, pero ella lo besó en la frente y se marchó sin contestar.

Montoro la recibió con el cariño de siempre, pero hubo algo en su abrazo, una especie de decaimiento o de laxitud que también se manifestó en su actitud general mientras conversaban en el interior del viejo Subaru por la South Eastern Parkway de Long Island, que la intranquilizó. Intranquilizar no es la palabra. Sería más apropiado decir que la falta de fervor le hizo sospechar que Montoro se había hecho viejo de repente. Luego, como he dicho, se daría cuenta de que no era eso exactamente lo que sucedía. Durante la visita, Montoro no hizo otra cosa que escribir en el ordenador. Helga paseó sola, visitó museos, vio a algunos conocidos, fue de compras, y naturalmente el 13 de abril, como estaba previsto, acudió a la cita con Fat.

Aparcó cerca de la biblioteca y halló sin dificultad el acceso a los anaqueles. La signatura DP estaba ubicada en el tercer piso, y allí se encaminó por una escalera interior. Las inmensas estanterías metálicas, repletas de volúmenes, dibujaban estrechos pasadizos desiertos y oscuros por los que de cuando en cuando Helga se tropezaba con algún estudiante. El sistema de catalogación por la CDU no tiene pérdida; enseguida localizó la serie 233 de la signatura DP, y sólo tuvo que seguir el orden alfabético para dar con DP 233.B7.C9. El volumen C10, el que debía tomar en sus manos quien llegara primero, no estaba. Instintivamente se volvió, pero a su espalda no había nadie. Ni a su derecha. Ni a su izquierda. Se encontraba en medio de un largo pasillo, sola. De pronto se apoderó de ella una angustiosa sensación de opresión; libros delante, libros detrás, libros arriba, libros abajo, y necesitó salir, respirar aire puro. Logró contenerse, no obstante, y esperar. Era posible que Fat hubiera llegado antes que ella, hubiese cogido el volumen y estuviera dando una vuelta por la biblioteca, podía ser estudiante de Stony Brook. Era posible también que el libro hubiera sido tomado en préstamo por otra persona, en cuyo caso Fat llegaría a ese mismo punto a la hora acordada. Pasaban cinco minutos de las cinco de la tarde. Repentinamente Helga Pato tuvo la sensación de estar siendo observada. Volvió a mirar a derecha e izquierda, pero no vio a nadie. Una persona apareció en uno de los extremos del pasillo, y se dirigió hacia ella, pero a medio camino se detuvo, buscó, encontró, cogió el libro y se marchó por donde había venido. Pasaban quince minutos de las cinco y Helga Pato no podía dejar de sentir que la observaban. Decidió pasear por los pasillos paralelos. Algunos estudiantes buscaban localizaciones y otros leían textos sentados en el suelo. Regresó a su signatura. Nadie. A las cinco treinta minutos Helga Pato supo que Fat no aparecería. No fue sólo una sensación, fue que de pronto su vista se posó en el lomo del volumen C10, que quince minutos antes no se encontraba en ese lugar. Obedeciendo a un impulso, Helga Pato corrió hacia el final del pasillo, creyendo que alcanzaría a quienquiera que fuera la persona que lo había devuelto a su lugar, pero enseguida reparó en lo absurdo de su intento, y regresó a la signatura con el corazón agitado. El volumen frente al que se habían citado era una traducción al inglés de las *Confesiones* de Rousseau. Helga lo inspeccionó por si Fat hubiese dejado alguna nota, algún rastro de su identidad, pero no encontró nada. Helga regresó desairada a casa de Montoro, con la sensación de haber sido víctima de un fraude. Timada. Cuando días después reanudó la correspondencia con Fat, ésta le pidió disculpas: le había surgido un imprevisto de última hora y no había podido desplazarse a Nueva York, nunca había estado allí. Helga no la creyó; discutieron y dejaron de escribirse; pero eso es historia.

Todavía andaba Helga alterada por la desaparición de Fat, si es que puede desaparecer alguien que nunca ha aparecido, cuando Montoro se sentó frente a ella en el salón y le dijo que estaba metido en un buen lío. Al principio Helga pensó que hablaba de dificultades intelectuales, pero enseguida descubrió que Montoro se refería a problemas reales. Hacía unos años había caído en sus manos la correspondencia privada de Ferdinand de Saussure. La había comprado por comprar, y la había tenido mucho tiempo sobre una mesa, sin leerla. Un buen día la cogió. Entre referencias bibliográficas y métodos de trabajo, Montoro encontró una carta dirigida a un tal Konstantin van der Hoffen, un poeta muy conocido de la época, en la que Saussure le preguntaba en un tono misterioso si los poetas *anagramáticos* iban *a ejecutar.*

–Saussure se escribe con Van der Hoffen en flamenco, y en flamenco el verbo *sank*, igual que *ejecutar* en español, se emplea para recitar poesía, pero también para asesinar –explicó.

Montoro buscó por todas partes la respuesta

de Van der Hoffen hasta que dio con ella. Lo importante, con todo, no fue encontrar la carta, por lo demás intrascendente y evasiva, sino los documentos que se encontraban junto a ella, en el archivo privado de Hoffen. Uno de estos documentos era una especie de diario en el que Van der Hoffen explicaba que desde los tiempos de la primitiva poesía heroica ciertos poetas habían aprendido a diseminar en sus textos con fines variados palabras o sonidos diversos, los *anagramas*. Montoro mismo había descubierto eso nada menos que en Garcilaso de la Vega. Cuando se topó con aquel fenómeno, todavía en Alemania, no había sabido darle sentido, había pensado que era simple casualidad o, como mucho, un jueguecito retórico. Pero a la luz del diario de Van der Hoffen, todo adquiría una nueva dimensión. Garcilaso de la Vega había salido de Toledo contra su voluntad, para acompañar a Carlos V por Italia y Francia. Durante este periodo había escrito los versos en los que Montoro detectó anagramas antes de saber que se llamaban así y antes de saber que existía una técnica para componerlos. Garcilaso diseminó total o parcialmente, *anagramáticamente,* la palabra TOLEDO: aquí TO, allí LE, allá DO o TLE o ELT, o íntegramente, TO-LE-DO, para persuadir al Emperador de que volviera, para que no se olvidara de aquella ciudad. Y para probar sus palabras, Montoro leyó unos versos de la *Primera égloga:*

Tú, que ganaste obranDO
un nombre en TODO EL munDO
y un graDO sin segunDO,
agora estés atento sólo y daDO
al íncliTO gobierno deL EstaDO
albano, agora vuELTO a la otra parte,
resplandeciente, armaDO,
representanDO en tierra EL fiero MarTe;

Montoro levantó la vista y miró a Helga, a la que creyó subyugada.

–¿No notas nada?

Helga negó con la cabeza. A Montoro no pareció importarle.

–Lo cierto es que la técnica consiste precisamente en que no se note, que se grabe en el inconsciente, pero que no se note. No obstante, si uno lo sabe de antemano, lo capta. Escucha:

espera, que en TornanDO
a ser restituiDO
al ocio ya perdiDO,
LuEgo verás ejercitar mi pluma

por la infinita, innumerabLE suma
de Tus virTuDes y famosas obras,
antes que me consuma,
faltanDO a ti, que a TODO EL munDO sobras.

Montoro volvió a mirarla, esperando su reacción.

–¿Y ahora? ¿Has notado la palabra TOLEDO?

–No.

–*Al íncliTO gobierno deL EstaDO* –repitió Montoro con una irritación que asustó a Helga.

–Quizás ahí sí –concedió ella.

–Claro, mujer, si pones de tu parte se oye perfectamente. Pero lo gordo no es esto; si todo se quedara en ir o no ir a Toledo, la cosa no tendría importancia.

Helga lo oyó hablar de un grupo de poetas y escritores que desde hacía muchos siglos hasta hoy formaban una logia conocedora de sofisticadas técnicas hipnóticas, que utilizaban para sugestionar a los lectores, capaces de anular el juicio y de hacer creer a quien leyese sus escritos lo que a ellos pudiera convenirles o lo que les encargaba el patrón de turno. Él, Montoro, había desentrañado su poderosa y desconocida técnica. Desde entonces lo seguían, dijo, lo llamaban por teléfono, lo presionaban de todas las maneras imaginables para que no hiciera público este estudio, pero a él le daba igual que lo asesinaran, como estaba seguro de que acabarían haciendo.

–Descubrir que mis escritores favoritos, los grandes, Helga, los que tú sabes, los únicos que me han impedido hasta ahora perder definitivamente la fe en el ser humano, pertenecen a la indecente secta de los anagramáticos ha sido para mí una decepción tan grande, que todas las amenazas que recibo para que no publique el libro, todos los registros a que me someten, las persecuciones y hasta las agresiones que he sufrido me resultan inofensivas comparadas con el daño que me ha hecho todo esto.

A esas alturas de su discurso, Helga Pato lloraba en silencio y sin lágrimas visibles la pérdida de Montoro. Lo lastimoso, con serlo, y mucho, no era haberlo perdido, sino que aquellos delirios seniles que nublarían para siempre su luminosa inteligencia le hacían sufrir. ¿Para qué llevar una vida de trabajo y de honestidad intelectual? ¿Para qué consagrarse a la lectura y al estudio? ¿Para que luego una mala conexión neuronal pusiera en tela de juicio las cuatro cosas, verdaderas o falsas, en las que uno se había ido apoyando para avanzar a trompicones en esta selva de vida? Amar los libros para que luego fueran los libros, precisamente los libros, quienes se convertían en los fieros enemigos, en los fantasmas malignos que lo iban a perseguir en sus noches de vigilia e insomnio.

–Adrián, ¿no tienes a nadie que venga a cuidarte mientras tú trabajas en esta formidable obra? –le preguntó Helga con los ojos secos, sin asomo de ironía. Pero Montoro no contestó, la miró sin entender qué decía, y le prometió solemnemente enviarle en un plazo no superior a tres meses la primera redacción de su libro. La muerte le llegó dos meses después. Lo encontraron derribado sobre un pupitre en la biblioteca pública de Nueva York con una carpeta llena de folios en blanco.

En cuanto a W, a Helga le parecía extraño que en todo este tiempo nadie la hubiese llamado a casa de Montoro para comunicarle su muerte. Se suponía que W debía de haberse ido consumiendo poco a poco hasta desaparecer, pero al regresar de Estados Unidos se lo encontró inclinado sobre su atril de cerezo, con las gafas apoyadas sobre la punta de la nariz. Al principio no supo qué manipulaba; primero pensó que era arcilla y eso la desconcertó; pero enseguida, al aproximarse, se dio cuenta de la situación. W no regresó jamás de aquel ensimismamiento o estupor, y todos los especialistas a quienes Helga Pato consultó estuvieron de acuerdo en que la Clínica Internacional era la más adecuada para ingresarlo. La clínica estaba apartada de los caminos más transitados, y a ella se accedía por una estrecha carretera que conducía entre pinos hasta una enorme cancela de hierro forjado, donde un guardia de seguridad comprobaba la identidad de los visitantes. «Clínica Internacional», podía leerse escuetamente a la entrada. No había indicación alguna acerca de su especialidad y ningún signo externo indicaba que en realidad se trataba de un manicomio.

Helga quiso salir de allí en cuanto puso un pie en el interior. No fue el personal lo que le desagradó; los empleados le resultaron encantadores. El jefe médico, el doctor Crespo, que se había declarado admirador de su marido, y que el primer día la invitó a almorzar, se encargó de explicarle los pormenores del ingreso. Era la luz tornasolada, o esa misma atmósfera de sosiego y amabilidad que se respiraba y que tan benigna debía de ser para los trastornos de personalidad, lo que convertía la clínica en un lugar onírico, en un paréntesis irreal e inquietante abierto en el fragor del mundo. A Helga la luz y la tranquilidad angelical la enervaron. Había algo lúgubre y morboso en aquella placidez, algo que la desasosegaba tanto que en cuanto pudo se montó en el pequeño autobús que la clínica ponía a disposición de los visitantes, y dio por concluidos los trámites de ingreso sin poder evitar un cierto alivio cuando el portón del sanatorio se cerró a su espalda. Fue a la vuelta, en el tren, cuando conoció al doctor Sanagustín, y cuando éste, después de haber hablado sin descanso sobre lo divino y lo humano, se apeó para comprar unos bocadillos y desapareció.

Ahora volvamos al tren, e imaginemos que Helga Pato abre la carpeta roja de Sanagustín para buscar la dirección exacta de ese chalet de Galapagar donde no le recogen la basura, o un teléfono de contacto para localizarlo al llegar a casa. Imaginemos que sus ojos no encuentran lo que buscan, sino que tropiezan con una palabra que enseguida llama su atención:

Coprofilia

Autismo. El paciente presenta un marcado desinterés por el mundo exterior. Alteradas las funciones de relación, habla y motilidad. Fluctuaciones del nivel de vigilancia. Negativismo, catalepsia, trastornos vegetativos, alteraciones de la micción y de la defecación. Ideas parásitas.

Yo para mí que los pasajeros de un avión que se cae al océano o que se estrella contra el suelo son conscientes del desastre. Otra cosa es que estalle en pleno vuelo. En estos casos la muerte sobreviene de improviso y los pasajeros mueren en el acto, sin enterarse de nada. Son en cierto modo muertos que no saben que lo están. Deben de ser estos muertos por sorpresa los que se aparecen en las leyendas, los fantasmas, muertos que no logran asumir que lo están y vagan desconcertados, como almas en pena, como extranjeros en ciudades desconocidas, deteniéndose frente a cada iglesia, admirándose de todos los edificios y consultando periódicamente un plano en el que no logran situarse. Estos pasajeros del avión accidentado por sorpresa pongamos que están colocándose los auriculares o sintiendo en su paladar el tacto cálido de la chocolatina casi regalada, es decir, casi derretida, ya casi no se emplea el verbo *regalar* en el sentido de *derretir*, y es una pena, la chocolatina casi regalada, digo, que las compañías aéreas regalan de postre, y, acto seguido, ya no lo están haciendo. Ahora sí. Ahora no. Están muertos. Lo que no se sabe es si hacen algo después de muertos; si después del impacto, que a ellas, las almas, todas las almas, almas ya inmortales, les sobresalta como sobresalta a un cuerpo mortal el frenazo brusco de un automóvil, si después de esto, de convertirse en almas, continúan colocándose los auriculares o saboreando la chocolatina regalada o, más bien, lo que hacen es levantarse de sus asientos y mirar a su alrededor espantados por el desastre. Otra cosa es que el avión vaya perdiendo altura. La gente piensa que en estos casos debe de ser horrible el análisis de la caja negra; pero la gente piensa también que la caja negra es de color negro cuando es de color rojo. La gente piensa que en la caja negra quedan grabados los horribles alaridos del pasaje cuando descubre que el avión cae sin remedio y que apenas quedan sesenta segundos de vida, al menos de vida tal y como la ha conocido –el pasaje, singular– hasta ese momento. La gente imagina a los pasajeros aullando de pánico, convertidos –ahora sí, plural– en lobos para el resto –y para los restos–, dispuestos a aniquilarse entre ellos para salvarse; entregados con frenesí y con el rostro desfigurado por la crispación, irreconocible, a las tareas más dispares; quien golpea la ventanilla; quien se abre paso a codazos hasta la puerta sellada, y trata inútilmente de abrirla sin caer en lo absurdo de su intento; quien sale al pasillo y en pie mira a su alrededor, desorientado, convertido antes de tiempo en el ánima en pena, en el fantasma que buscará fallas en el vidrio que lo separa de la otra vida, recuperando de pronto una sensación de desamparo brutal que sólo experimentó cuando perdió en la infancia, en plena calle, la mano de sus padres; quien cierra los ojos y muere en silencio; quien los abre y grita que es injusto morir allí, morir así; quien tiene la sangre fría de plasmar en la bolsa del vómito, o en el borde de una revista, sus últimas impresiones con la esperanza, y al final así es, de que los equipos de rescate encuentren ese escalofriante testimonio, y lo entreguen a la prensa para su difusión: hay gente dispuesta a todo con tal de publicar una línea, aunque sea póstuma. Pero en la caja negra no quedan registrados los gritos del pasaje. Todo lo más, las horrorizadas primeras palabras, que en realidad son las últimas, del comandante o de uno de sus auxiliares cuando descubre que la caída es irremediable. Hay veces en las que se oye constatar con horrible incredulidad esa invariable evidencia: Nos caemos, nos caemos. Y se caen.

Depresión postesquizofrénica

Adinamia o astenia, depresión física y psíquica con debilitación muscular. La paciente presenta un trastorno depresivo aparecido tras un episodio esquizofrénico. Persisten los síntomas de la esquizofrenia catatónica, pero predominan los depresivos: desgana, apatía, abulia y sentimiento de irrealidad o extrañeza respecto al mundo externo o a sí misma. Distanciamiento respecto al entorno. Disforia. La paciente presenta poca expresividad facial y lentificación de los movimientos espontáneos, disminución de la frecuencia del parpadeo, pocas inflexiones vocales y mirada huidiza. Síntomas de anhedonia, vacío emocional y flexibilidad cérea. Despersonalización.

Yo lo mío empezó como *101 dálmatas*, y todo lo que sucedió después pude haberlo deducido de la primera noche, cuando lo conocí, porque todas las cosas están siempre en sus principios. Una noche que bajé a pasear a mi perro *Pingo;* al ver que trataba de aparearse con una perra, corrí a separarlo, pero en ese momento apareció su dueño, Emilio, a quien yo conocía de vista, porque tenía un quiosco de periódicos cerca de la plaza de toros, y me dijo que los dejara, que a él le gustaban los perros, que tenía una casa muy grande y que estaba buscando una camada. A mí me dio cosa, pero no dije nada y los dejé. Es muy raro estar ahí, en silencio, con un desconocido, mientras tu perro monta a la perra del otro. Cuando terminaron de hacerlo Emilio me dijo que fuera a visitarle al día siguiente, y aunque no me apetecía porque amaneció lloviendo, como no tenía nada mejor que hacer, fui a verlo al quiosco y estuve un rato allí, bajo la lluvia, poniéndome perdida y charlando con él a través del ventanuco. Podía haber tenido el detalle de invitarme a entrar, pero, según me dijo, para él el quiosco era su casa y significaba mucho que una mujer entrara allí. Me dijo que volviera otro día y yo le dije que bueno, pero no pensaba volver; lo que pasa es que como no tenía nada mejor que hacer, al ir a comprar el pan o a pasear al perro, me dejaba caer por allí. Cuando hacía buen tiempo él me enseñaba revistas de perros, y me hablaba todo el tiempo de razas y cruces; lo hacía con buena intención, pensando a lo mejor que a mí me interesaba todo eso, pero es que a mí me importabas tres pepinos, yo tenía mucho cariño a *Pingo* y preguntaba por la preñez de *Charla,* que era su perra, pero nada más.

Nos fuimos viendo casi a diario, y el mismo día que *Charlita* parió cinco cachorrillos preciosos, Emilio me pidió salir. Le dije que sí y entonces él me abrió las puertas del quiosco, y pude darles a los clientes el suplemento del domingo.

Vendió cuatro de los cinco cachorros, y se quedó con el quinto, un perrillo muy rumboso, *Elvis,* que fue mi regalo de pedida. Tuvimos un noviazgo corto, casi todo él dentro del quiosco. Luego nos casamos, pero no pudimos irnos de luna de miel, porque el quiosco es lo que tiene, que es muy esclavo; y tienes que estar todos los días al pie del cañón. Pero a mí no me importó; a mí lo que me importó es que se cansara de mí tan pronto.

A los pocos meses, no había pasado ni un año desde que nos casamos, ya me dejaba sola todo el día en el quiosco, y él se iba con los perros a la Casa de Campo. Yo recogía, hacía caja, cerraba el quiosco todas las noches, y luego me iba a casa corriendo, a hacerle la cena antes de que llegara. Menos mal que vivíamos al lado del quiosco.

Una noche, al acostarnos, él me pidió que lo hiciéramos por detrás, como los perros, dijo; y como llevábamos mucho tiempo sin hablar y sin hacer nada de nada, aunque no me apetecía, cedí; y si cedes una vez, yo no lo sabía, ya cedes siempre; unas veces es por amor; otras porque te sientes insegura; y otras porque tienes miedo. En general es por los tres motivos a un tiempo, si es que los tres no son la misma cosa.

Desde entonces nunca más volvimos a hacerlo cara a cara, siempre me ponía a cuatro patas, algunas veces sin pedirme permiso; y no es que me violara, pero a mí tampoco me apetecía hacerlo algunas veces y tenía que hacerlo. Un día probé a negarme, y entonces él se marchó con los perros y se tiró fuera una semana. Aunque nuestra casa no es muy grande, las paredes se me caían encima, y nunca más volví a decir que no; cedí, y él estuvo muy cariñoso durante un tiempo y prácticamente no iba a la Casa de Campo.

Otra noche, mientras lo hacíamos a cuatro patas, me habló; se acercó a mi oreja y me dijo que gimiera como una perra, y yo lo hice sin pensar que a partir de entonces iba a tener que hacerlo siempre. Saqué la lengua y gemí como una perra, y a él le gustó, y estuvo muy simpático toda la semana, y me hizo el primer regalo desde que me regaló *a Elvis.* Me compró un collar, un collar de perro, con tachuelas, y me dijo que le gustaría que me lo pusiera mientras lo hacíamos a cuatro patas y yo jadeaba con la lengua fuera. Y yo me lo ponía y luego me lo quitaba. Y entonces él me dijo que para qué me lo iba a estar poniendo y quitando todo el tiempo, que me lo dejara puesto, y me lo dejé puesto. A la gente le chocaba mucho; le hacía gracia que yo llevara el mismo collar que nuestros perros. A mí me daba vergüenza y me ponía el pelo por delante, para que no se me viese.

Como yo notaba que él estaba cada día más contento, no decía nada y me dejaba hacer. Un día dijo que él hacía la comida; él se compró un kilo de langostinos de Sanlúcar y a mí me puso estofado de carne, dijo que era estofado de carne, pero yo sabía que era comida para perros. No está mala, pero yo hubiera preferido langostinos de Sanlúcar. Él me miró comer y se excitó, y luego me cogió por detrás.

A partir de entonces, él hizo siempre la comida; yo pensaba que no había mal que por bien no viniese, aunque al final ni siquiera se molestaba en ocultarme de dónde salía el estofado; cogía descaradamente una lata de comida para perros, la abría delante de mí y me la echaba en el plato.

Hoy cómetela sin cubiertos, directamente con la boca, verás qué bien, me dijo una vez. Y en cuanto empecé a hacerlo, me cogió por detrás. Al principio me negué a comer en el suelo; pero un día me trajo, todo contento, una escudilla de plástico con mi nombre estampado en ella. ¿No te gustaría comer con ellos?, me preguntó señalando a nuestros perros. Le dije que no, y me tachó de intransigente y de no hacer nada por salvar nuestro matrimonio, cogió a los perros y se marchó a la Casa de Campo.

Yo me dije que por ahí no debía pasar, pero cuando estás sola, pensando todo el santo día, es muy fácil encontrar razones para hacer cualquier cosa, por disparatada que sea, y al final no me parecía tan grave comer a cuatro patas a las mismas horas que nuestros perros, pensé que podía ser hasta divertido. Cuando se lo dije, me abrazó y por primera vez en mucho tiempo me besó en el hocico. Nos compenetramos muy bien, me dijo unos días después, ya no necesitamos ni siquiera hablar, salvo para lo más imprescindible, estamos hechos el uno para el otro; con un ladrido querrás decir que sí, y con dos que no, ¿vale? Yo le dije guau; y él me cogió por detrás.

Llegó un momento en que vivía más tiempo a cuatro patas que a dos. Muchas veces venía mi madre, o alguna amiga, preguntaba por mí, que en ese momento estaba merendando en mi escudilla, en el suelo del quiosco, y él me daba una patadita de complicidad y decía que no estaba, que me había ido de compras. Los cambios se habían ido produciendo tan poquito a poco, que no me di cuenta de que me había convertido en una perra; que había cedido un terreno que no iba a recuperar jamás, y que difícilmente volvería a ser una persona. Eso sucede muchas veces en la vida, sobre todo si no haces nada al principio.

Cuando quería hablar con él, él hacía como que no me entendía. Dímelo con ladridos, con ladridos, decía. Y con ladridos me entendía. Todos los días me hacía un regalo, pero yo casi hubiera preferido que dejara de hacérmelos. Me traía huesos de sabores, galletitas, y una caseta, que colocó en el patio y a la que me fue relegando poco a poco, con la excusa de que los dos dormiríamos mejor por la noche. Cuando llegábamos a casa, yo me metía en la caseta sin protestar, y él se ponía a ver la tele dentro, en el salón. Así por lo menos, pensaba yo, no le oigo roncar.

A la falta de conversación se le unió la falta de convivencia, y ya ni siquiera verme comer a cuatro patas le excitaba. Por eso me puso tan contenta que un día me dijera que quería tener un cachorrito; que mi salida de casa había dejado espacio libre y que podía entrar uno más. Yo lo interpreté mal y me puse a hacer cabriolas, porque dándole vueltas a la cabeza, había pensado que a lo mejor un hijo me convertía en ser humano a sus ojos. Pero no tardé en darme cuenta de lo que pretendía. Y como él intuyó que ni siquiera yéndose a la Casa de Campo una semana aceptaría cruzarme con *Elvis,* el hijo de mi *Pingo* y de su *Charla,* que ya estaba hecho un perrazo, no tuvo más remedio que atarme y darme de palos. Y *Elvis* me cogió por detrás. Aquella noche, en la caseta, sin dejar de llorar, determiné matarlo.

Me hice con un martillo y un serrucho, que escondí en la caseta, y aprovechando una noche que se había quedado dormido viendo en la tele una entrevista con un observador de la ONU, entré a hurtadillas y de un martillazo lo dejé en el sitio. Le abrí la cabeza con el serrucho a la altura de la frente y le vacié el cráneo con la mano derecha enfundada en un guante de fregar. Repartí los sesos a partes iguales entre los perros; y allí lo dejé, con la cara iluminada por la tele y la frente levantada, como si se hubiera quitado el sombrero al verme entrar, como si por primera vez en mucho tiempo volviera a tenerme respeto.

Trastorno paranoico de tipo somático

Ideas delirantes sobre el padecimiento de enfermedades congénitas o defectos físicos. El paciente presenta flexibilidad cérea y sudoración. Inseguridad.

Yo nací en una ribera y la humedad reblandeció mis huesos obligándome a guardar cama los primeros veinte años de mi vida. En el transcurso de los mismos no acudí jamás a escuela alguna ni tuve trato con los muchachos vertebrados de mi edad, sólo con otros moluscos, que como yo eran consumidos por sus vidas subhumanas a la monótona sombra de las monjitas en flor y del objetor de conciencia, prestador social sustitutorio, voluntario que a la sazón me cuidaba obligatoriamente los domingos alternos de cada mes.

Estos veinte años del principio de la vida, los que forjan el carácter y predicen la conducta futura, esos que aparecen glosados en la vida nueva y pija de Pedrito de Andía o en la alegre algarabía de *El Jarama*, ésos, me los chupé yo yaciente. Mis huesos reblandecidos me vedaron las experiencias que suelen enriquecer los tiernos años de la adolescencia; la vida penetró en mí filtrada por el opaco tamiz de la hermana Araceli, mi preceptora de Educación General Básica, y por el filtro multicolor y fantástico de las hermanas Benigna y Enriqueta, que me dieron el Bachillerato Unificado Polivalente. Mis experiencias fueron siempre fingidas y ajenas, catarsis que sacudió mi espíritu embebido durante la lectura o hipnotizado frente a la pantalla del televisor. Cabe los trovadores, cabe Petrarca, cabe Garcilaso y las dulces canciones de Castillejo que me proporcionaban mis monjitas, también encontré deleite en las ficciones pornográficas que me suministraba en formato vídeo el prestador social sustitutorio. Y así, este niño caracol se hizo una idea del mundo y del maravilloso universo del amor, que no obstante le dejaba insatisfecho.

En los ratos de ocio ocasional que lograba escamotear al ocio perpetuo de mi vida, volaba mi imaginación pensando qué haría si alguna vez abandonaba aquel estado mucoso e invertebrado. Y resolvía ir a París, sentarme en los cafés donde se alumbraron entre risas las vanguardias, y recorrer las calles que oyeron las arengas sartrianas y sirvieron de escenario a la hermosa película de Bertolucci. En París debían de palpitar las experiencias vitales.

Después de muchas vicisitudes médicas, en las que no voy a detenerme para no fatigarlo, a los veinte años, como digo, gracias a los adelantos que en materia de prótesis trajo consigo la guerra del Golfo me llenaron el cuerpo de hierros, por dentro y por fuera, me obligaron a hacer ejercicios de rehabilitación para fortalecer mis músculos inactivos, y empecé a salir a la calle.

¿Qué puedo decir? La vida real pareció mucho más monótona, monocorde e insustancial que esa otra vida que reflejaba la literatura. Eso es lo que dicen los escritores, ¿no? Pues es verdad. Así como los personajes de una buena novela usan registros verbales diferentes, yo pensaba que cada persona hablaba de un modo marcadamente distinto, y que una conversación, como las discusiones de las novelas, era un corredor de voces entremezcladas, que se contaminaban las unas de las otras, formando una especie de caleidoscopio verbal. ¡Qué decepción! En la vida real casi todas las personas hablan del mismo modo, hablan como en el telediario, o peor. Pero no es esto lo que quiero contar. Lo que quiero contar es que la asociación de minusválidos a la que pertenecía organizó mi soñado viaje a París. Y a París que me fui.

Nada más llegar, los clochards me robaron la máquina de retratar, y me llevé un disgusto. Una cojita, que venía en el viaje, me consoló. Luego a ella le quitaron la muleta, y fui yo quien tuvo que servirle de paño de lágrimas y báculo hasta que se compró otra. Parecerá una tontería, pero para mí fue una decepción que en París hablaran francés. Eso era algo que, a ver si me explico, algo que sabía de modo implícito, pero que nunca me había parado a pensar de modo explícito. Ese detalle, que parece nimio y que todo el mundo *sabe,* no se menciona en ninguna obra de ficción, que yo conozca; y eso que aprender un idioma es algo que cuesta dinero y esfuerzo, y que no se olvida así como así. Parecerá tal vez que soy un tiquismiquis; alguien dirá que estas cosas son matices que no pueden ir en las películas ni en las novelas porque uno no puede ponerlo todo. Yo le contesto que sí, que tiene razón, pero que no deja de ser una irresponsabilidad porque ese pequeño detalle se convirtió en una pesadilla cuando salí con Rosa, que así se llamaba la cojita, a comprar una muleta nueva.

Por supuesto, no se me ocurrió buscar *muleta* en el diccionario, y esto me hizo protagonizar esa clase de episodios que en el instante de vivirlos son patéticos y que, si te casas con la persona que te acompaña en ese momento, se hacen con el tiempo hilarantes y entrañables; y si no te casas, siguen siendo patéticos hasta que te mueres. Yo no me casé con Rosa, y en varios establecimientos ortopédicos quise que se me tragara la tierra, tratando de hacerme entender. Entonces no alcancé que cuanto más subía a mis ojos en la escala del ridículo, más puntos obtenía a los suyos en la cuenta del amor. Conseguimos finalmente una muleta nueva y regresamos extenuados al hotel. Una vez allí, ella me ayudó solícita a quitarme la ortopedia de mis brazos y mis piernas. Sin ellas me sentía mucho más desnudo que desnudo y, además, inútil, desestructurado como una babosa postmoderna, casi líquido. Ella se descalzó su zapato ortopédico como si se despojara de su ropa interior. Estábamos tan cansados por el esfuerzo realizado, que allí nos quedamos bocarriba, dormidos; ella con una pierna más larga que otra y yo sin mis estructuras, desvalido como una gamba pelada. Cogí frío.

Al día siguiente tuve que guardar cama, y Rosa renunció a marcharse con el resto del grupo y se quedó a cuidarme, desoyendo mis recomendaciones y las de sus amigas manquitas, con las que se había apuntado al tour. Ellas no lo entendían, y yo tampoco supe ver tras su solicitud nada que no fuera su natural sumisión y agradecimiento. No es que yo sea un crustáceo de vanidad y machismo; es que a mí no se me había adiestrado para interpretar como amor el brillo de los ojos de una coja, maldita sea. En todos los poemas que yo había leído, en todas las novelas en las que me había sumergido, en todas las películas que había visto, las mujeres enamoradas eran siempre hermosas y simétricas; no tenían defectos, ni tenían patas de gallo, ni tenían por supuesto la pata coja. Y si la tenían, los cabrones de los poetas, escritores y cineastas la habían ocultado con palabras o prótesis, mintiendo a la humanidad y jodiéndome a mí la vida, porque a mí no se me había dicho nunca que era posible enamorarse de una muchacha deforme. ¿Alguien me puede decir en qué poema de Petrarca, Garcilaso, Castillejo, Bécquer o Gil de Biedma hay taras, defectos físicos o simples asimetrías? Y no hablo de imperfecciones de la piel que pueden ser una hermosa huella del paso del tiempo, etcétera, etcétera, etcétera; hablo de tener una pierna más larga que la otra, me cago en la hostia.

A todos nos han hipnotizado para identificar el amor con el *verdadero amor,* con la *pasión,* con un sentimiento que te lleva a la muerte y a la vida, al frío y al calor, al placer y al dolor. En ningún lugar había leído, ni nadie me había dicho, escritor en prosa o en verso, que aquello que yo acabé sintiendo por Rosita mientras me cuidaba, mientras la veía entrar y salir renqueante, balanceándose de un lado para otro, y que sólo ahora reconozco, era, no *también,* sino *únicamente,* el verdadero amor. Yo esperaba estremecerme, agitarme con espasmos interiores, sudar, sufrir, debatirme y sentirme pleno y simultáneamente vacío. Todo eso. Y como no sentí nada de lo que sienten los enamorados de la ficción, sino un cariño fundado, una difusa ternura, un estado de ánimo más cercano a la melancolía que a la vesania, entonces, me dije, tú no sientes amor, Gárate, sino piedad. Y cuando Rosita me pidió que me acostara con ella, yo, que me había prometido a mí mismo hacerlo por primera vez sólo con quien me hiciera sentir lo que he mencionado más arriba, le dije que no. Tranquilos, le dije que no, pero al final acabamos haciéndolo. Acabamos haciéndolo para mi desgracia, porque con el sexo me sucedió lo mismo que con el amor: todo lo que sabía cuando llegó la primera vez lo había aprendido en las revistas y películas pornográficas que en su momento me trajo mi cuidador voluntario.

Cuando, tumbaditos en la cama, descubrí a Rosa, no encontré las grandes tetas de las heroínas del porno, sino un pecho sumido y tristón. Nada de pieles tersas y largas piernas. Bueno, había una pierna larga, sí. Y otra más corta. Rosita no se lanzó como aquellas mujeres de la ficción, que lo hacían como víboras, a succionar mi pene, sino que se tumbó indolente, coja y bocarriba. Y yo no sabía qué hacer; porque en las revistas lo hacían todo ellas. Nada hubo, por tanto, de aquella actividad frenética de la ficción, y tampoco gritó con aquellos alaridos que a mí me resultaban tan familiares.

Y lo peor de todo fue cuando me llegó el momento de la eyaculación. Hice lo que había visto hacer tantas veces a los profesionales del sexo: saqué mi pene y lo llevé hasta su boca, tratando de vaciarme en el interior de la misma con toda mi buena intención. Me sorprendió su reacción. Se incorporó escupiendo. Empezó con arcadas y terminó vomitando allí mismo, encima de las sábanas. Decir, no dijo nada. Se enjuagó la boca, se vistió y se fue. Oí sus pasos desiguales alejarse por el pasillo y no volví a verla nunca más. Se borró del tour y se recluyó en las Islas Afortunadas, de donde era natural.

Acatisia

El paciente presenta agitación psicomotriz, exceso de actividad motora poco productiva. Ansiedad y tensión interior, sudoración, falta de higiene personal, malnutrición, delirios de identidad, faltas de ortografía.

Yo, aunque tengo problemas con la comida, tengo más problemas con la identidad, porque en unos papeles me llamo Makeli Gasana Anastase, que significa «Anastasio, me cago en tu puta madre»; en otros, Migueli Casona Nastase, y en otros Macarra del Casino Anacleto, según sea el guardia que los haya hecho, pero no importa porque últimamente pa no tener del problema conservo el número ocho a la espalda, me hago llamar Míchel del Madrí, y voy que chuto con mis 90-60-90, que es lo que respondo a mi fecha de nacimiento porque a los guardias les hace mucha gracia y yo me mondo, y aunque soy natural de las colinas de Mulenge, que están cerca del lago Tanganica, digo que soy segoviano y muy nervioso, hijo de Melchior y de Beatrice, y que mi estado civil es el huérfano, cosa que también les hace mucho de reír a los guardias gaditanos, y yo me mondo, y los guardias me dicen que tengo mucho, pero que mucho salero y olé; lo cual es necesario en los tiempos que corren, porque he corrido mucho y he visto muchas cosas malas que a lo mejor no sé contar, y eso que en la escuela hacíamos ejercicios de contar, mas eran ejercicios de contar números en francés mientras se producían los disparos que nosotros oíamos muy lejos, detrás de la montaña, o más lejos todavía, y que eran primero pocos y luego muchos y que mataron a la maestra, que era muy blanquita y se llamaba Magdelaine, lo que por una parte nos dio mucha tristeza porque era muy buena, mas nos puso por otra contentos ya que dejó libre la escuela y su sótano tan grande pa que pudiéramos refugiarnos durante una semana, aterrorizaos, amontonaos, sin comía, sin bebía, mas con una radio pérfida que decía tol tiempo que los soldaos que estaban ahí fuera iban a aniquilaros de un momento a otro, negros de la puta, intentando ser, a ser posible, especialmente crueles con las mujeres y los niños, y que, como prueba tamaña, ahí estaban los aviones, que escuchábamos en silencio, sin que naide se moviera, oyendo cada vez más cerca, cada vez más cerca, como los disparos a los que antes he hecho referencia, el rugío de los motores y los gritos de un soldao gritando que saliéramos de la escuela y de su sótano tan grande, que saliéramos a to meter, que iban a bombardearla y que moriríamos tos sepultaos entre las piedras que al caer sobre nuestras tripitas nos impelirían a expulsar to nuestro interior hacia afuera, alimentos incluíos, de un modo muy parecío al de tos nosotros saliendo en estampía, como antílopes, de aquella escuela que otrora había sío templo del saber guiao por la paciente mano blanquita, blanquita de la monja Magdelaine, que ya no estaba entre nosotros corriendo despavoría, tratando de no perder a los suyos, algo que a mí me resultó imposible por más que agarré de mis padres las manos que se nos fueron resbalando poco a poco, porque fuerzas no teníamos y porque las mujeres corrían empujando mucho y llevando sus crías a la espalda, mas sin poder evitar que algunas de estas crías se cayeran y murieran pisoteás, convirtiéndose a su vez en obstáculos pa los que no éramos crías, en los cuales lógicamente otros tropezaron corriendo la misma suerte, obligándonos a saltar sobre ellos y provocando que muchos se estamparan contra los árboles, incrustándose en ellos como fósiles vivos, entregándose en sacrificio a las eras posteriores y a las tiendas de souvenirs, tanta era la furia con que huían de los disparos de los mismos soldaos que habían gritao que saliéramos a to meter y que nos esperaban afuera pa disparar contra nosotros ráfagas de metralleta que barrían los cuerpos como si fueran las virutas de madera que caían a mis pies y que yo tenía que esquivar si no quería acabar como los que no pudieron correr como corrí yo y otros muchachos hasta que estuvimos extenuaos y nos dimos cuenta de que habíamos soltao de nuestros padres las manos y de que estábamos solos en el mundo, acompañaos sólo de otros chicos como yo que lloraban queriendo volver en busca de sus padres, madres y manos y que al mismo tiempo se dejaban llevar por su instinto de supervivencia, que les obligaba a huir y a alejarse de aquellos pisotones, robando lo que podíamos y alimentándonos a duras penas durante tres meses, en el transcurso de los cuales muchos se daban por vencíos y se quedaban en la cuneta, entre cuerpos sin piernas o entre piernas descompuestas, esperando pareja suerte, invocando a la muerte que a otros les llegó en plena diarrea, sin poder alcanzar frontera ni campo de refugiaos a rebosar, especialmente de muchachos como nosotros, que habían lograo escapar y que habían suplicao como nosotros que nos dejéis entrar, que nos dejéis entrar, aunque con mejor fortuna que nosotros, a quienes nuestros proprios soldaos contestaron con la dulzura de coger a uno cualquiera, de pegarle un tiro delante de tos y de comérselo asao, consiguiendo que una muchacha que venía con nosotros y que no había dejao de llorar en tol camino dejara por fin de gimotear, aunque fuera volviéndose loca y golpeándose, ya en silencio, la cabeza contra el suelo hasta llamar la atención de una monja que acudió en su auxilio y que intercedió pa que nos dejaran entrar con la condición de que nos hicieran una foto a cada uno de nosotros y nos marcaran con un número y un nombre a la espalda, tocándome a mí en suerte el 8 de Míchel, azar que interpreté en clave de profecía, según la cual, aunque no encontraría a mis padres, que estaban muertos, o si vivos nunca me reclamarían, sería fichao por los alevines del Madrí, certeza esta que tenían tos los compañeros con quienes pasé luengos meses en el campo, sin saber qué hacer, viendo de vez en cuando a la muchacha ex llorona y neoloca, que tenía el 1 de Arconada, y a quien las monjas le dieron a cuidar unos patitos hasta que la adoptaron, según me dijeron las monjas en mi lengua materna, lo cual yo también exigí pa mí, contestándome ellas que me fuera a tomar por culo, respuesta cuyo alcance no alcancé hasta mucho más tarde, cuando ya me había escapao con la camiseta del Madrí y el número 8 de Míchel a la espalda, y, cruzao tol África negra camino de la entidad blanca, donde exhibiré la rapidez de mi regate, hasta llegar a un campamento ceutí que se llamaba, según rezaba un letrero situao a la entrada, «Todos al mar para que coman los tivurones» junto a trescientos negritos que habían tenío la misma idea que yo y que aguardaban allí con camisetas del Sabadell ser fichaos por los alevines del Madrí, y a quienes no les hizo mucha gracia que llegara uno con el 8 de Míchel a la espalda, dispuesto a hacer la prueba de la entidad blanca, y a quedarse concentrao en el campamento primoroso, en el que se había cuidao hasta el último detalle con su techo de uralita, sus colchonetas en el suelo, sus cuerdas pa tender la ropa, que cruzaban el campamento de extremo a extremo en varias direcciones, y su agujero, que si no usábamos pa cagar, puesto que no ingestábamos de lo sólido, sí ensuciábamos con la orina de nuestro caldo, sopita cocinada en botes de pintura reseca, que adquiría a causa de ello unos tonos fantasía que hoy no acaban de conseguir totalmente los restaurantes étnicos donde trabajaré, y que tenía un sabor inconfundible que intoxicaba a los más débiles, matándolos por desgracia mas permitiendo a Dios gracias mi admisión en el grupo, donde por demás no duré mucho, ya que, como he mencionao anteriormente, no me querían bien aquellos negritos del África Tropical y me colocaron pa dormir al lao de un negrito tuberculoso que tenía la camiseta de Migueli, y junto al que no había persona que quisiera estar, y yo menos que naide, de manera que un buen día me metí en un barco que iba pa las oficinas de la entidad blanca, con riesgo de que sucediera lo que finalmente ocurrió y fue que al poco de zarpar me descubrieron, y aunque pensé que no iban a ser capaces de echarme al mar teniendo como tenía el número 8 a la espalda, el 8 de Míchel digo, me equivoqué, mas antes de hacerme saltar por la borda me machacaron a palos pa que entrara caliente en el agua fría, donde superviví y superviví tres días encima de uno de los palos mencionaos, con tan sólo una sopita de colores en mi tripa de color hasta ser pasto de tivurones o llegar a una playa de la provincia de Almería, cuya tierra y pesticidas guardo en mi corazón por ser allí donde trabajé por primera vez gracias al buen oficio de un modesto horticultor que se arriesgó a ser sancionao por la normativa comunitaria a causa de permitirnos el recoger de su invernadero los tomates, siempre y cuando fuera sin parar, a no ser por el desmayo o muerte que proporcionaban sus pesticidas caseros que engordaban el tomate como Dios y desinflaban el corazón de los veinticinco negros, luego veinticuatro, luego veintitrés y luego veinte, que trabajábamos pa nuestro pobre horticultor al son de nuestro rico y desconocío folclore y que estrechamos lazos al vivir en el mismo cortijo, sito al lao del invernadero y asimismo de su propiedad, que él nos alquilaba por la mitad de nuestro sueldo, si a cambio le cagábamos siempre en el invernadero y bajo matas de tomate diferentes pa ahorrarle la compra del abono sulfatao, permitiéndonos por su parte aprovechar las instalaciones del riego por goteo pa nuestra higiene personal domingo sí domingo no, especialmente del glande, antes de que vinieran unas de nuestra tierra mujeres y de su propiedad gracias a las cuales tornaba a su legítimo dueño la otra mitad de nuestro indigno sueldo, no pudiendo de este modo alimentarnos si no era con el hurto de tomates podríos, fraude y quiebra de confianza que nuestro horticultor castigaba con el despío inmediato so manta de palos que servidor recibió el mismo día que vino a concienciarnos socialmente el sacerdote en jefe de la asociación benemérita Aúpa Negritos del África Tropical, con sede social en Almería capital adonde me dirigí despedío, pero contento por to la ayuda que me se prometió y que, yo me mondo, era verdad, ya que me solucionaron unos papeles con el nombre de Nastase y ofreciéronme trabajo aprovechando mi dominio del idioma de Cervantes, la fluidez en varios idiolectos centroafricanos, así como un profundo conocimiento de la psicología del negrito común y corriente como el agua del piso de la sede social de Aúpa Negritos, donde yo habitaba haciendo además las veces de guarda jurao en la noche, pero era feliz, comía y entrenaba pa no decepcionar en mi debut a la afición blanca y participaba activamente en las reuniones de la organización, matizando las observaciones del sacerdote en jefe cuando en las conferencias con asistencia de autoridades civiles y militares de la provincia, incluíos los legionarios, aseveraba, circunspecto y entendío el muy experto en temas de inmigración, que nosotros los negritos tropicales gustan de vestir ropajes llamativos y de comer sandía, teniendo el ritmo en el cuerpo y en el cuerpo una piel áspera y un olor característico, que nos sale de no lavarnos, a ver si les decís a los horticultores de El Ejío, gritaba yo en to la parroquia apostólica, que hagan justicia y pongan del agua caliente en el riego por goteo porque nos salen sabañones en el pene sangrando por de dentro las de mi tierra mujeres con víruses venerables, lo que causó gran alboroto y una entrevista subsiguiente con el sacerdote en jefe en la que me comunicó que el permiso de trabajo temporal tocaba lamentablemente a su fin y que yo iba a convertirme de la noche a la mañana en un inmigrante ilegal de tres pares de cojones, que a ver lo que hacía, y le pedí amparo contestándome el buen samaritano que ése era mi problema, negro cabrón, que me has dejao en ridículo frente a la alta sociedad almeriense y a ver qué hacía él ahora, mientras yo tomaba el camino más corto hacia la entidad blanca, atravesando Despeñaperros de cabo a rabo pa entrar a trabajar primero en unos restaurantes étnicos que imitaban bastante bien la sopita pinturera del campamento refugiaos, y luego contratao por un negro mu gordo en el negocio redondo de vender ropa usá por tol África Tropical, gracias a lo cual vi la puerta abierta de la casa blanca, donde me enviaban de vez en cuando pa poner unos carteles muy bonitos con muchas fotografías de negritos desnutríos, a los que poníamos camisetas o gorras del

Elche y del Hércules pa que dieran pena, bajo los cuales escribíamos lo que nuestro jefe nos había obligao a aprender de memoria y que decía si tiene usted ropa usá no la tire hay unos pobres hinchas de tu mismo equipo que tienen mucho pero que mucho frío nosotros se la haremos llegar no se preocupe por favor denos la ropa perfectamente empaquetá y clasificá primero por tallas luego por clases y al final por colores no las mezcle que es peor tendrá su conciencia tranquila durante tol mes de agosto poco más o menos ayuda a los aficionaos pobres ¡viva tu club! Firmaba Mondipobri Internacionale Asoziation, ya que según el jefe estaba comprobao que había que poner un nombre de inglés o de italiano a estas cosas pa que la gente se las crea, y yo me mondo, y una vez que la gente dejaba la ropa nel portal, nosotros sólo teníamos que recoger los paquetes, que ya estaban clasificaos, y llevarlos al almacén sito a las afueras de Ceuta, donde venía gente y compraba a cien dólares el kilo las tonelás de ropa que mi jefe obtenía gratuitamente por mor de la caridad de las gentes, obligando a que otros negros más humildes vendieran pueblo a pueblo cada pieza de ropa por un huevo si querían obtener alguna ganancia mas ése no es mi problema, ya que ya tenía yo bastante con la recogía, el transporte y el impedir que camión de organización benemérita ninguna descargara en nuestras ciudades y dañaran económicamente hablando a mi jefe y a sus empleaos entre los que se encontraban, amén de yo, buenos alcaldes y presidentes de la república, que recibían a los beneméritos humanitarios con tos los honores y que se comprometían a repartir la ropa entre la población, mas cuando los humanitarios y las buenas gentes le entregaban el cargamento de ropa y se daban la media vuelta, el alcalde o el presidente de la república llamaba a mi jefe, que le daba una palmaíta en la espalda y un póster del Madrí campeón de ocho copas de Europa, y nos mandaba descargar los camiones, iniciando de este modo el proceso que ya he contao anteriormente, aunque no siempre era tan fácil, ya que algunas humanitarias y beneméritas non gubernamentales se ponían muy pesadas, obligándonos en tales circunstancias a prender fuego a sus fardos de ropa destiná a los más necesitaos, ya que si la tal se repartía, amigo, nosotros, los vendedores y sus familias, se morirían de hambre, y eso nunca, amigo, nunca, antes la muerte, como le pasó a un negro que tenía la camiseta de Gordillo, cuando jugaba en el Betis, que quiso vender un fardo de ropa por su cuenta y que finó en una pira agarraíto a la ropa mencioná por orden de nuestro jefe, que me pareció en ese punto crudelísimo, por lo que huí arrepentío de mi complicidad dispuesto a darlo to el día de mi debut que espero aquí concentrao, puestas mis esperanzas en la entidad blanca, lanzando tiros francos tol santo día con un balón que yo me imagino, a ver si el míster se fija en mí.

Al llegar a casa hizo pis, se dio una ducha templadita y paseó desnuda por la casa, disfrutando de la soltería reconquistada o de la reciente viudez. Sólo le restaba desmontar el despacho de su marido para eliminar todo rastro físico de su presencia. Echó un vistazo a su biblioteca, por si mereciera la pena conservar alguno de aquellos volúmenes, y estuvo tentada de quedarse con un par de ellos, consciente de que obtendría una fortuna malvendiéndolos; pero se mantuvo firme en su decisión de expulsar a su marido y de eliminar todo lo que hubiera tenido contacto con sus manos. Prefirió deshacerse de la biblioteca al peso; era una cuestión de principios. Al día siguiente llamaría a un ropavejero. A continuación buscó en su agenda el teléfono de la clínica y dejó un recado para el doctor Sanagustín. Díganle, dijo, que tengo su carpeta, que puede llamarme a casa, mi nombre es Helga Pato.

Si Ander Alkarria había sido para ella su plataforma de lanzamiento, los esquizofrénicos, bien dirigidos, podrían significar su consagración y su retiro. Helga Pato sabía que los laboratorios y en general la industria farmacéutica libraban generosas partidas para la promoción de sus productos. No sería difícil convencerlos para que incluyeran publicidad entre las piececitas de esta clase de libros. Pero imaginemos que cuando Sanagustín le devuelve la llamada, todos estos planes, que parecen tan fáciles de ejecutar, se complican inesperadamente como se complica la vida del que va andando por la selva tan tranquilo, silbando o pensando en sus cosas, y de repente pisa una trampa para elefantes, y lo que parecía ser terreno firme resulta ser un falso suelo que se hunde a sus pies.

–No estoy seguro de saber quién es usted y qué es lo que quiere, aunque me lo imagino –le dice una voz que no reconoce como la voz de su amigo ferroviario, pero que asegura ser el doctor Ángel Sanagustín–. De lo que sí estoy seguro es de que no he perdido ninguna carpeta; así que, por favor, le ruego que me deje en paz.

Había leído que ciertas bandas de malhechores suministraban a los viajeros incautos un potente somnífero, y a continuación les limpiaban de arriba abajo y les quitaban hasta la camisa, pero no era el caso; su documentación y su dinero, salvo el importe de los bocadillos, permanecían intactos en la bolsa de viaje. Descartó, pues, el timo. Helga no le había entregado nada, ni le había comprado estampas o baratijas, ni él le había pedido ninguna firma para ninguna noble causa, ni había tratado de convertirla a credo alguno. Lo único que había hecho quienquiera que fuese aquel hombre, que ahora negaba haber estado en un tren, era hablar. Hablar, hablar, hablar, dejarle una carpeta y desaparecer.

No es que hubiese hecho de las narrativas un desafío profesional, o que considerara que una buena agente nunca se da por vencida aunque sienta que está en el fondo de una trampa para elefantes; es que le picaba la curiosidad. Y por eso, al día siguiente Helga Pato decidió darse una vuelta por Galapagar, el pueblo donde estaba el chalet que Sanagustín había comprado al tal Thybaut. Todo esto según su testimonio; a Helga Pato no se le escapaba que la pista se apoyaba sobre unos cimientos muy inestables, pero, al fin y al cabo, ése era el único dato del que disponía, y como le había dicho Sanagustín, pocas veces dejamos al esfumarnos algo más que un puñado de palabras.

Recorrió todas las calles de Galapagar y sus alrededores; comunidades modestas, urbanizaciones de lujo, conjuntos residenciales y extraordinarias oportunidades de llave en mano, sin entrada, y facilidades de pago. Imaginemos que fuera al doblar una esquina, o al entrar en una calle, lo mismo da, perdida en cualquier caso toda esperanza, como se suele decir en estas circunstancias, cuando divisó un extravagante corralito que alguien se había molestado en levantar alrededor de un montón de muebles de cocina, viejos archivos, papeles, electrodomésticos, ropa vieja y restos orgánicos que se esparcían putrefactos por el suelo. No era un cuento, pensó sin poder evitar un destello de orgullo hacia su perseverancia, mientras aparcaba frente a la puerta de un chalet adosado de dos plantas, ladrillo visto y tejado de pizarra, al que se accedía atravesando un pequeño jardín delantero, primorosamente cuidado. Llamó al timbre y tras un largo intervalo de tiempo, tan largo que estuvo a punto de volver sobre sus pasos pensando que no había nadie, se abrió la puerta y bajo el umbral apareció un hombre corpulento, de pelo blanco, que la escrutó con desconfianza.

Helga se presentó: Creo que hemos hablado por teléfono; soy la del recado y ésta es la famosa carpeta, la carpeta que yo he encontrado y que usted por lo visto no ha perdido, dijo levantándola y colocándola a la altura de su vista; perdone que haya venido sin avisar, se disculpó, pero no todos los días le sucede a una lo que me está ocurriendo a mí; le juro por lo más sagrado que ayer conocí en el tren a un hombre que dijo llamarse Sanagustín, ser psiquiatra, trabajar en la Clínica Internacional, vivir en Galapagar, y tener en la puerta de su casa un montón de basura que nadie le quería recoger. Es evidente que ese hombre no es usted, pero quienquiera que sea la persona que yo he conocido en el tren, lo conoce a usted, y se dejó sobre el asiento esta carpeta.

En ese momento, emergiendo de la oscuridad, apareció tras el hombre corpulento y canoso la figura de una mujer más joven, ataviada con una indumentaria deportiva, un ajustado mono de bailarina moderna, que realzaba una extraordinaria silueta. Al ver la peculiar carpeta de color rojo, dijo:

–Ángel, déjala pasar; esa carpeta es nuestra.

El hombre se sorprendió ante la revelación, pero franqueó el paso, aunque sin dejar de mirarla inquisitivamente. Helga siguió a la mujer deportiva, que la condujo a uno de esos espacios abiertos distribuidos en diferentes zonas de luz, que aprovechan al máximo su amplitud y en el que los matices cromáticos etcétera, etcétera, etcétera, es decir, la condujo a lo que antes se llamaba salón, saloncito, salita o cuarto de estar.

–Perdone si mi marido ha sido grosero por teléfono –se excusó la bailarina una vez que los tres se hubieron acomodado–, pero tenemos muchos problemas con los vecinos, y ha pensado que lo de la carpeta era un cuento. Ya veo que no. Pero, dígame, cómo ha llegado a sus manos.

Helga Pato les puso al corriente de lo que le había sucedido en el tren; describió lo mejor que supo al supuesto Sanagustín, y esbozó las líneas generales de su abigarrado discurso: el libro sobre la esquizofrenia que guardaba la carpeta, el asunto de la basura, y su secuestro por Martín Urales de Úbeda. Y todo esto, que en el tren le había parecido extraordinario, pero posible, verosímil y hasta divertido, sintió que se iba convirtiendo conforme ella lo relataba en una cómica sucesión de disparates, como esos sucesos perturbadores, como esas ideas geniales que se nos ocurren en sueños, y que al verbalizarlas se diluyen en el aire o dejan al descubierto su condición de gilipollez.

Helga apuró sin convicción el final del relato. Cuando terminó, la mujer alcanzó un retrato enmarcado que hasta ese momento descansaba sobre una mesita, y se lo tendió.

–O mucho me equivoco, o la persona que usted se encontró en el tren era ésta.

Lo dijo sin pasión, sin interés por sorprender o maravillar a su interlocutora, constatando más bien un hecho irremediable y acostumbrado.

Helga examinó con interés la fotografía. Había sido tomada de abajo arriba en un día luminoso. El cielo estaba limpio y azul, y sobre él se recortaban nítidamente los rostros radiantes de tres adultos. El primero era el de la mujer deportiva, que con el pelo más corto, y vestida de novia, parecía más madura. El segundo pertenecía al novio, su marido, prácticamente irreconocible, con el pelo negro, muchísimo más delgado y sonriente. Y entre ellos, abrazándolos, también contento, estaba, no había duda, el hombre que ella había conocido en el tren.

–Es mi hermano Martín –informó lacónicamente.

–¿Martín? Martín qué, por un casual –preguntó Helga de un modo asintáctico e incomprensible, que delataba la confusión de su pensamiento.

–Martín Urales de Úbeda –respondió la bailarina.

Y añadió:

–Esa carpeta roja se la he regalado yo.

Bien fuera porque sus funciones intelectuales hubieran disminuido súbitamente, bien porque hubiesen aumentado de improviso, el caso es que Helga no contestó, se quedó pasmada. Su semblante adoptó un aire de ausencia, como si no estuviera allí, como si *Martín Urales de Úbeda*, en vez de un nombre propio, fuera un largo túnel en el que hubiera entrado y del que tardara en salir. El matrimonio decidió esperarla al otro lado, y cuando la vieron aparecer con gesto extraviado, acudieron a su encuentro. El marido se apoderó cortésmente de la carpeta, como si la nueva identidad del dueño le convirtiera a él en propietario, y sin permiso de nadie inspeccionó su contenido mientras su mujer aclaraba de una vez por todas lo que había comenzado como una simple conversación.

–Mi hermano Martín está enfermo. Teóricamente está ingresado en la Clínica Internacional, pero allí tienen unas ideas muy avanzadas sobre salud mental y dicen que a mi hermano hay que tenerlo en régimen abierto, para que se integre en la sociedad, así que va y viene de su casa a la clínica, según le apetece, dicen que es inofensivo.

–Y lo es –aseguró el marido sin interrumpir el examen de la carpeta, sin levantar siquiera la vista de las narrativas. Éstas le habían interesado inmediatamente, pero no le habían impedido oír las palabras de su mujer y sentirse aludido por ellas.

–Matar no va a matar nunca a nadie, pero no es la primera vez que hace una cosa así –repuso la mujer mirando a Helga, que durante unos instantes sintió que era un frontón contra el que marido y mujer lanzaban réplicas y contrarréplicas, sin que ella pudiera intervenir.

–Hablar con la gente forma parte de su terapia de rehabilitación –recitó de memoria el marido, sin dejar de leer, como si hubiera repetido esta frase muchas veces.

–¿Mentir forma parte de su terapia? ¿Inventarse cosas? ¿Suplantar personalidades? ¿Confundir a la gente? ¿Hacer perder el tiempo a las personas, como se lo está haciendo perder a esta señora, forma parte de su terapia de rehabilitación?

Fue éste un golpe muy agresivo, y el marido se vio obligado a levantar la vista y a correr hacia la pelota, para poder devolverla.

–Si la gente se cree a pies juntillas lo que Martín, o cualquier otra persona, cuenta en un viaje de tren, como si hubiera una ley que obligara a contar la verdadera biografía, eso es problema de la gente. ¿Acaso hubo entre ustedes un pacto tácito –le preguntó a Helga– o un acuerdo explícito de sinceridad que le impidiera a él juguetear o inventarse su vida, si es que eso le entretiene y le madura? Como estos papeles de la carpeta: parecen testimonios de pacientes esquizofrénicos, pero no tienen ni pies ni cabeza, son un puro disparate, cosas que se habrá inventado. Martín padece una esquizofrenia paranoide de gran riqueza sindrómica. No hay trastornos afectivos, pero la personalidad está escindida. Sufre delirios y alucinaciones. Oye voces que comentan sus acciones, tiene un sentimiento de despersonalización y de extrañeza hacia sí mismo, y en ocasiones siente que es otro y vive como si lo fuera. Eso se llama delirio de suplantación, o de solidaridad. Delirio de simpatía se llama también. Es lo que en el lenguaje corriente se conoce como doble personalidad. En estos últimos días, por lo que usted dice, vive *como* si fuera yo.

–¿Como si fuera usted?

Las historias más o menos coincidían. Se habían mudado a esa casa hacía cosa de un año; el antiguo propietario de la vivienda, un observador de la ONU llamado José María Thybaut, les había dejado la pila de basura que ella había visto a la entrada y que los basureros se negaban a recoger, alegando unas normas de reciclaje que ellos no acababan de comprender. Los habían sacado en la tele, les habían hecho entrevistas, y todos los días recibían sacas de cartas escritas por particulares que se solidarizaban con ellos. Pero al mismo tiempo los vecinos les atosigaban con anónimos y llamadas de teléfono, les exigían la recogida de la basura y todas las semanas convocaban una manifestación de protesta frente a su casa. Ellos, sin darse cuenta, habían consagrado su vida a conseguir justicia. Ella seguía trabajando de monitora de aeróbic, pero su marido, Sanagustín, el verdadero psiquiatra, había pedido una excedencia en la Clínica Internacional, había vallado la basura para evitar que la robaran, y había fundado la Asociación de Ciudadanos Damnificados por la Basura y el Reciclaje. Todo lo demás, el secuestro, las muertes, las cartas y las narrativas eran cuentos inventados por Martín.

–Me lo había imaginado –mintió Helga, que creyó llegado el momento de hablar y de sacar algo en claro de todo aquello–; por eso estoy aquí. Soy agente literaria, y estoy interesada en el material de esa carpeta.

–Hace poco –le contestó la mujer sonriendo–, vino alguien como usted. También quería publicar no sé qué. Le había sucedido lo mismo; se acababan de conocer, y mi hermano le había contado una historia terrorífica sobre los bomberos o sobre un asesino que le cortaba la lengua a sus víctimas. También salía esta casa. El caso es que al tipo le fascinó, vino por aquí, y luego se entrevistó con Martín. Para nuestra sorpresa, mi hermano aceptó y escribió todo lo que le había contado. El hombre este estaba entusiasmado. Cuando volvieron a verse para firmar el contrato y todo eso, mi hermano le pidió un momento el manuscrito, lo cogió, sacó una cerilla y lo quemó delante de él. Al tipo casi le dio un síncope. Yo, si usted soporta el mal olor, no tengo ningún inconveniente en darle su dirección.

Pero no hubiera hecho falta; en cierto modo Helga ya había estado allí, en la casa de Martín Urales. Si llamaba al timbre, le advirtieron, no abriría. Para establecer comunicación, debía evitar que se sintiera descubierto en su impostura, ya que en ese caso se cerraría, adoptaría una actitud autista y sería imposible acceder a él. Que no los mencionara, que no dijera que había ido a Galapagar, que se hiciera la encontradiza, y que no lo llamara Martín Urales, sino Ángel Sanagustín. Aun así era posible que al verla echara a correr o que simplemente no se acordara de ella. En cuanto a sus hábitos, nada podían decirle a ciencia cierta. Martín Urales iba y venía de la Clínica Internacional sin calendario, sin horario fijo, según como fuera su evolución a lo largo de la semana. Si quería hablar con él, tenía que esperarlo hasta que apareciese en la puerta de su casa, el viejo chalet, número veintiuno de la calle Martínez Izquierdo, que Helga enseguida reconoció: la herrumbrosa cancela, el descuidado jardín y los muros húmedos por los que trepaban las parras como nervios momificados.

Digamos que el enigma de Martín Urales ya estaba aclarado, pero ¿y ella? ¿Por qué soportó ella a la intemperie días enteros de frío intenso? ¿Por profesionalidad? ¿Por codicia? Mientras combatía el frío con cortos paseos a lo largo de la manzana, o con cafés en un bar cercano desde el que podía vigilarse la entrada a la casa, trataba de explicarse a sí misma este extravagante comportamiento, impropio en una mujer de su edad, de su rango y de su experiencia. Sería cínico pensar que lo hacía como respuesta a un desafío profesional. Es cierto que las narrativas de Martín Urales, verdaderas o fingidas, constituían exactamente el tipo de libro que había decidido representar, pero en este caso el dinero no le parecía una poderosa razón para permanecer allí, día tras día, esperando que Martín Urales entrara o saliera. Ni siquiera la intuición de que Martín Urales de Úbeda era un diamante en bruto que ella sería capaz de pulir y explotar le parecía el verdadero motivo de su paciencia. Entre todas las contestaciones que Helga Pato se daba a la pregunta *¿Qué diablos haces aquí pasando frío todo el día?*, no aparecía una, apócrifa, que ella nunca hubiese reconocido como suya: estaba allí por curiosidad o por necesidad, por las mismas razones en todo caso que hacía veinte años la habían empujado a conocer en persona a W en la Feria del Libro de Frankfurt. Tal vez las mismas por las que había dedicado tantas energías a refutar para su inacabada tesis doctoral la autoría colectiva de la épica medieval, poniendo otra vez en circulación la vieja idea de un autor individual para cada obra. Soportaba el viento, la lluvia y el frío por la necesidad fetichista y enfermiza de que hubiese un ser humano detrás de las palabras.

Una tarde, perdida ya toda esperanza, como suele decirse en estos casos, lo vio caminar hacia la casa. Vestía la misma indumentaria del tren, debía de ser el uniforme de paseo, pensó Helga, y llevaba bajo el brazo una carpeta semejante a la que había olvidado en su regazo. Helga esperó a que abriera la cancela para abordarlo.

–Doctor Sanagustín, ¿se acuerda de mí? Nos conocimos el otro día en el tren. Por fin lo encuentro.

Martín se sobresaltó, y por un instante pareció que se iba a echar a correr, pero no lo hizo. Dadas las circunstancias, puede decirse que reaccionó con suma agilidad y bastante desparpajo:

–Me pilla por casualidad –dijo sin afectación, como si se vieran todos los días a la misma hora–. He venido a inspeccionar los papeles de Martín Urales. ¿Quiere acompañarme?

Helga conocía aquella casa; el interior, el largo pasillo, el salón, la penumbra, los muebles como de otra época, el enorme televisor, los postigos echados y sobre todo el hedor, el nauseabundo olor a basura descompuesta que lo impregnaba todo. Aunque sabía que todo había sido pura invención, que estaba con un esquizofrénico, Helga Pato no pudo evitar que sus ojos contemplaran el salón de la casa de Martín Urales como si realmente los padres y la hermana hubiesen leído las cartas cerca de la ventana, como si realmente Martín hubiese aparecido en el umbral bajo el que ahora pasaban, como si realmente el padre hubiese golpeado la mesa, como si realmente Amelia hubiera seducido a Sanagustín, y luego éste hubiese descubierto la impostura de su identidad, como si realmente Martín Urales hubiera secuestrado a Sanagustín y lo hubiera recluido en el sótano al que ahora se dirigían, y al que se accedía por una trampilla disimulada en el descomunal televisor, de la que partía una empinada escalera de madera. Aquel espacio era más alucinante de lo que ella había imaginado: bolsas y bolsas de basura se apilaban por todas partes; algunas se habían roto, o habían sido mordisqueadas por quién sabía qué roedores, y su contenido brotaba por la hendidura como las vísceras tumefactas de un animal reventado. Entre las bolsas, mezclados con los desperdicios, había también papeles, hojas de periódico que contendrían, imaginó Helga, noticias de última hora o reseñas demoledoras de alguna obra esperada, escritas por algún crítico serio y respetado. Había también páginas arrancadas de libros compuestos con afán de gloria o de conocimiento, páginas escogidas y estampadas con lamparones de grasa sobre sus palabras cuidadosamente elegidas en soledad y en silencio, que componían junto a mondas de naranja y otros restos orgánicos collages que habrían hecho suspirar de envidia a más de un artista contemporáneo. Martín no tuvo reparos en hundirse hasta las rodillas bajo aquel mar de desechos. Abría las bolsas y curioseaba en su interior, como si no hubiese sido él quien las hubiera llenado. Todo lo examinaba, lo olía, lo cataba o lo leía:

–Aquí hay de todo –le oyó decir–. Escuche esto: Los cándidos humanistas han creído siempre que podíamos acceder al alma humana a través del trato cálido y la amable conversación entre personas, pero la verdadera esencia del hombre está en la mierda, en esa materia despreciable que creemos bajar por una tubería anónima y sumergirse con un ruido líquido en las aguas fecales de las alcantarillas. Si alguien se tomara la molestia de recoger y analizar nuestras defecaciones, se sorprendería de la abundante información que contienen. Mucha protección de datos; mucho discutir sobre si nos controlan o no cuando pagamos con tarjeta de crédito, o cuando usamos internet, pero luego no nos importa suministrar despreocupadamente y con alivio cuando nos creemos a salvo de cualquier mirada y nos sentamos en nuestra íntima taza del váter los aspectos más ocultos de nuestra personalidad, de nuestros gustos y nuestro temperamento, de nuestros ciclos y nuestras crisis. Así es como abrimos nuestro corazón a los demás; no somos nada más que un puñado de mierda. Un puñado de mierda y ochenta por ciento de agua.

Helga sintió que se mareaba con las palabras de Martín y con los gases, sin duda tóxicos, que emanaban de las toneladas de basura allí almacenadas. Su agobio contrastaba con la jovialidad y el bienestar que parecía sentir Martín descubriendo su propia mierda.

–Mire, doctor –le dijo–, pongamos las cartas bocarriba. Yo soy agente literaria...

–¡Agente literaria! ¡Qué barbaridad! –la interrumpió con una euforia enfermiza–. Yo el lunes que viene hace siete años y dos meses que dejé de leer. Antes sí que leía, leía un huevo, pero ahora, desde que leo con ojos de psiquiatra, no me creo una palabra, empezando por eso de que leer es como conversar. Cuántas veces me hubiese gustado tener al autor frente a mí para pedirle que me explicara mejor un párrafo o para sugerirle que se callara. Además, la verosimilitud me aburre. ¿Para qué tanto esfuerzo en parecer real si todo el mundo sabe que no es más que un libro? Y, la verdad, para que me reflejen el interior de mis contemporáneos, mejor me quedo en casa. Ya le dije el otro día cuál era mi experiencia con el interior...

–Me gustaría representar ese libro sobre la esquizofrenia del que me habló en el tren –le cortó Helga–. Creo que podríamos ganar mucho dinero.

Imaginemos que Martín no contesta; que todo es muy rápido y que luego ella no va a saber explicar a ciencia cierta qué ha sucedido. Estaba hablando, dirá, y de repente vi que había fuego y sentí que no podía respirar. Las llamas cubrieron rápidamente el sótano, como si alguien hubiera extendido de un puntapié una gigantesca alfombra enrollada, sólo que la alfombra gigantesca y enrollada era una alfombra de fuego que derritió el plástico de las bolsas y lo arrasó todo, liberando un humo negro y tóxico que oscureció el aire en segundos. Helga Pato, que estaba al pie de la escalera, tuvo tiempo de taparse la nariz, de subir a trompicones por los escalones de madera, de correr por el pasillo perseguida por una columna de humo mortal, y alcanzar milagrosamente el patio.

En pocos minutos la calle se convirtió en una trágica feria de luces y sirenas, en un carnaval de espumas y fuegos de artificio, que Helga apenas si alcanzaba a percibir desde el fondo de un profundo estupor. Asistida por los servicios de urgencia, con una manta sobre los hombros y el rostro ligeramente tiznado, Helga parecía haberse disfrazado grotescamente de rey Baltasar. La muerte viene siempre a destiempo, y en ocasiones se convierte además en un acontecimiento absurdo y cómico que nos haría reír si no fuera por lo que tiene de irremediable. Martín, por ejemplo, estaba entusiasmado y después estaba deshecho, convertido en un montón de ceniza que la funeraria municipal trasladó al Anatómico Forense en una bolsa de basura, por si no fuera suficiente esperpento haber muerto carbonizado en la cumbre de un ingente montón de mierda.

Aquella noche, y durante los días que siguieron al incendio, Helga tuvo que someterse a los inquisitivos interrogatorios de la policía judicial, colaborar con los insidiosos peritos del seguro y contestar de buena gana las preguntas de los periodistas. El día del entierro tuvo además que repetir una vez más los pormenores del accidente ante la hermana de Martín y su marido, el verdadero Sanagustín, que no la creyeron cuando ella juraba que no se había dado cuenta de nada. Ni siquiera los bomberos pudieron asegurar si el incendio había sido provocado o producto de una combustión espontánea de los gases inflamables que emanaban de la basura. El caso finalmente se archivó; la hermana y su marido se olvidaron de ella y todo fue poco a poco volviendo a su cauce. Cuando ya no tuvo que estar localizable veinticuatro horas al día, ni dispuesta a contestar preguntas intempestivas, Helga se perdió una temporada lejos de España, para olvidarse cuanto antes de aquella muerte exhilarativa.

A su regreso, entre los muchos recados grabados en su contestador, había uno de la Clínica Internacional. Su marido permanecía en el mismo estado catatónico, y los psiquiatras necesitaban ciertos permisos para someterlo a pruebas extraordinarias. En la clínica el doctor Crespo le explicó detalladamente el protocolo que seguían en estos casos, ella lo escuchó sin atención, lo firmó todo y salió de allí, ansiosa por regresar a casa cuanto antes.

En el tren volvió a encontrarse con Martín Urales. No parecía muerto. Tenía muy buen aspecto. Vestía con elegancia un traje gris, una camisa asalmonada y corbata de lazo. Llevaba sobre sus rodillas una carpeta de color verde, semejante a la que había olvidado en ese mismo tren semanas atrás, que parecía proteger con unas manos huesudas, pero al mismo tiempo delicadas, en las que Helga no había reparado todavía. Sus ojos grandes y pardos la miraban limpiamente y con franqueza.

–No esperaba volver a verlo –confesó Helga tratando de aparentar normalidad–. Pensé que estaba muerto.

–Es natural. Le ha pasado a mucha gente; pero no le dé más importancia. Son las ventajas de viajar en tren. ¿Le apetece un poquito de conversación?

El tren había echado a andar y salía de la ciudad por sus arrabales. Descendió suavemente desde la cordillera hasta los páramos de pizarra, para cruzar a continuación valles y comarcas ganaderas; bordeó yacimientos, atravesó llanuras, pasó por tierras agrestes y luego por tierras más llanas; recorrió selvas de encinas y bosques de hayas, se detuvo en ciudades grandes, se detuvo en ciudades chicas, y al cabo de varias horas de paisaje y conversación el tren aminoró su marcha y alcanzó finalmente su destino.